Schaden, Ado

Meister F

oder humoristischer Spaziergang von Prag ueber Wien und Linz nach

Passau

Schaden, Adolph von

Meister Fuchs

oder humoristischer Spaziergang von Prag ueber Wien und Linz nach Passau

Inktank publishing, 2018

www.inktank-publishing.com

ISBN/EAN: 9783750103528

Meister Fuchs;

oder

humoristischer Spatziergang

von Prag über Wien und Linz
nach Passau.

Allerneuestes Capriccio, als drittes Tableau
in die Gallerie
der Kater- und Bocksspünge.
von
Adolph von Schaden.

— Dessau, —

im Verlag bei C. Schlieder.

Meister Fuchs,

ober

humoristischer Spaziergang

von

Prag über Wien und Linz

nach Passau.

Vorwort.

Der Zeitgeist liebt nun einmal das Barocke, darum vermögen beinahe ausschließlich nur barocke Formen jetzt noch einigermaßen anzusprechen; nun es gilt im Ganzen wohl gleichviel, wie die Schaale beschaffen, wenn der Kern nur taugt, darum huldiget man, der Form nach, ohne große Gewissensangst und gern, jenem angeregten Geiste.

Ließ der geniale Hoffmann zu Berlin neulich doch einen Meister Floh sich in wunderseltsamen Kapriolen versuchen, wer möchte da meinem Fuchse verargen, wenn er einen zwar etwas langen, aber nichts destoweniger launigen Spaziergang unternahm, und denselben zu beschreiben wagte.

Meinem Meister Fuchs muß ich selbst vor dem Kater und Bocke den Vorzug geben, und ich hoffe mit Zuversicht, daß der vorurtheilsfreie Leser, welcher mein Bestreben: „die Thorheiten unseres Zeitalters ohne Rücksicht aufzudecken, das Gute desselben aber herauszuheben," zu würdigen weiß, mir, troß allen hämischen Rezensenten und feindseligen Finsterlingen, Gerechtigkeit widerfahren lassen werde.

Der Verfasser.

Inhalt.

Meister Fuchs,
ober
humoristischer Spaziergang von Prag über Wien und Linz nach Passau.

Anhang.

Das Ländchen
ob der Enns, Linz und Passau.

I.

Schutz= und Trutzbrief.

Wer durchs Leben
Sich frisch will schlagen, muß zu Schutz und Trutz
Gerüstet sein.

Fr. v. Schillers W. Tell.

*   *   *

Schon in meinem neulich erschienenen Bock= sprunge von Dresden nach Prag machte ich auf Claus des Narren Worte aufmerksam, welche lauten:

„Wahrheit ist und bleibt ein schlimmes Kräutlein!"

Herr Claus urtheilte in der That wie ein Narr, denn: Wahrheit ist nicht ein schlimmes, nein es ist ein Kraut, welches den Kühnen, der nach ihm seine Hand aus= streckt, hundertmal selbst zerstört, bis es einmal eingewurzelte Uebel heilt.

I

Mir kommt in der Sache schon ein kom=
petentes Urtheil zu, denn es sprechen aus mir
leider die bittersten Erfahrungen.

Ich stellte sowohl in meinem Kater=
als im Bocksprunge Ansichten auf, die
meine innerste Ueberzeugung waren; möglich,
daß ich hier und dort menschlich irrte, doch
einer Sache bin ich so gewiß als meines
Lebens:

In die Klasse der Pasquillan=
ten verdiente ich nie gestellt zu
werden!

Ein Pasquillant ist ein Schurke, der ledig=
lich mit bösem Vorsatze und aus Rachsucht
Lügen und Verläumbungen verbreitet,
und der, um keinem Ehrenmanne je Rede
stehen zu dürfen, größtentheils unter der
Aegide heilloser Anonymität sein
Wesen treibt.

Der große J. G. Herder stellt in seinen
leider zu früh in Vergessenheit gerathenen
Briefen zur Beförderung der Huma=
nität (Riga 1796 bei J. F. Hartknoch)
folgende Behauptung auf:

„Die ächte Muse haſſet auch im Tadel alles zu Bittere, geſchweige die Verläumdung. Warum fallen perſönliche Satyren ſobald in Vergeſſenheit oder Verachtung? — ihrer Ungerechtigkeit und Uebertreibung, kurz des unedlen Gemüths wegen, das der Begeiſterung einer Muſe nicht werth war. S w i f t, vielleicht der ſtrengſte V e r ſ t a n d e s m a n n, den England unter ſeine Schriftſteller zählt, der unbeſtochenſte Richter in Sachen des Geſchmacks und der Schreibart, gab ſich, von böſen Zeitverbindungen gelockt, in's Feld der Satyre; — wer aber iſt, der von Anfang bis zu Ende ſeines Lebens ihn deswegen nicht bitter beklagt? So treffend ſeine Streiche, ſo vernünftig ſeine Raſerei in Einkleidungen und Gleichniſſen ſein mag, wie anders ſind ſeine Sätze und Sprüche, wo er r e i n e V e r n u n f t redet u. ſ. w."

Ich kannte und achtete H e r d e r s angeregte Briefe lange, bevor ich je daran dachte, K a t e r = oder B o c k ſprünge zu ſchreiben, aber gerade bei den letztern Unternehmungen waren ſeine Sätze die Norm, welche meine Feder leitete.

1 *

Ich griff im Katersprunge die usur=
pirte leidenschaftliche Kritik an, deren sich
gewisse Gelehrte in einem gewissen Zeitblatte,
nach meiner Ansicht, schuldig gemacht hatten;
allein geschah es mit Bitterkeit, machte ich
mich erweislicher Verläumdungen schul=
dig? — Keinesweges! ich ließ den auf sich
selbst fest stehenden Verdiensten jener Gelehrten
die vollste Gerechtigkeit widerfahren, und
meine motivirten Urtheile und Ansichten legte
ich dem Publikum zur strengen Prüfung vor.

Nie war es meine Absicht, persönliche
Satyren zu schreiben; mein Hauptzweck blieb
und bleibt: muthig und kühn nackte Wahrheit
in einer gefälligen Form darzustellen und wo
Persönlichkeiten durchaus nicht zu umgehen
waren, trugen sie nie das Gepräge der Ge=
hässigkeit, sondern jenes des Humors an sich,
und immer gründen sich meine Behauptungen
auf erweisliche Thatsachen.

Wohl konnte ich gewiß sein, Widerstand zu
finden, allein ich erwartete ihn auf einem an=
dern Wege, als er sich mir darstellte.

Viele unbestochene Richter in Sachen des

Geschmacks und der Schreibart würdigten meine
Leistungen mit Bescheidenheit; sie lobten die
bessern Seiten derselben und machten auf die
schwächern ohne Bitterkeit aufmerksam, und
solch' ein Verfahren ist im Reiche der Musen
würdig und ehrenwerth. Meine eigene Ehre
erfordert indeß, auf das Verfahren einer andern Partei aufmerksam zu machen.

Ich gestehe, daß mein Privatleben ein Con-
flict höchst seltsamer Schicksale und ganz eigenthümlicher Verhältnisse bildete, welches erst
jetzt, nach einer langen Reihe von Jahren, sich
endlich günstig zu entwirren anhebt; allein so
wahr ich an einen Gott glaube, es ruht das
Selbstbewußtsein in meiner Brust, mich nie
einer schlechten Handlung schuldig gemacht zu
haben; alle Jene, welche Ansprüche und Erwartungen in meine Person setzen, werden sich
nie getäuscht finden, und möge mir nur der
Himmel die Gnade verleihen, daß auch ich
im Verfolge der gerechtesten und bedeutendsten Ansprüche nicht unglücklicher als diese sein
werde. Doch genug! — gewisse rachsüchtige
Widersacher bildeten aus meinem Privatleben

einen Roman, zusammengesetzt aus den nichts=
würdigsten Verläumdungen und verbreiteten
dieses schändliche Gewebe nun durch ganz
Deutschland; nicht nur Privatpersonen, son=
dern selbst obrigkeitliche Behörden erhielten
Briefe, durch welche sie vor mir als einer
hochgefährlichen Person förmlich gewarnt wur=
den; aus Prag und Leipzig sendeten mir
Biedermänner solche Schandbriefe ein, sie be=
finden sich im Original und zwar einer mit der
Unterschrift eines bekannten Mannes versehen,
noch in meinen Händen, und ein anderes
Schreiben, welches einem Schurken bestimmt,
zufällig in die Hände eines wackern Mannes
gerieth, enthält folgende Stelle:

„Alle Anstalten sind getroffen, der Sch.
mag sich hinwenden, wohin er will, er ist ver=
loren; der Tollkühne muß sich in seinen eig=
nen Stricken fangen, alle unsere zahlreichen
Verbindungen haben uns ihren Beistand ge=
lobt, und er wird in solche gefährliche Händel
und Verwirrungen verwickelt werden, daß er
nothwendigerweise unterliegen muß, und Wien
wird wahrscheinlich der Ort werden, welcher

wenigſtens ſeine — literariſche Exiſtenz für
immer beendigen wird."

Von woher der Impuls aller dieſer bei=
nahe beiſpielloſen Verfolgungen kam, dieſes
zu ergründen, iſt mir bis dieſen Augenblick
noch nicht gelungen, allein ich habe alle Hoff=
nung, die beſtimmteſten Aufſchlüſſe zu erhal=
ten und werde ſeiner Zeit die Reſultate mei=
nes emſigen Forſchens zum Schutze mei=
ner Ehre öffentlich bekannt machen.

Welch' ſeltſame Wege man verfolgt, falſche
Nachrichten über meine Perſon zu verbreiten,
kann auch unter andern die Thatſache bewei=
ſen, daß in öffentlichen Blättern, und zwar
offiziell, mein Eintritt als Hauptmann in die
Dienſte der Häteriſten verkündet wurde; die
Neckar= und die Münchner politiſche Zei=
tung (vid. die sub dat. 22. Feb. 1822 erſchie=
nene Nro. 47) gingen ſogar ſo weit, Briefe
aufzunehmen, welche ich aus Kalamate ein=
geſendet haben ſollte, indeß es mir nie in den
Sinn gekommen war, eine Reiſe nach Grie=
chenland zu unternehmen.

Auch das Brockhaus'ſche Converſ. Blatt

enthielt neulich einen über alle Maßen pöbel=
haften, gegen meine Person gerichteten Aufsatz.
Es versicherte bei dieser Gelegenheit wieder ein
Anonymus: „er wisse sich noch recht gut
der Zeit zu erinnern, in welcher der Herr v.
Schaden ganz bescheiden sich vom Abschrei=
ben ernährt habe u. s. w." Das Schicksal
beugte mich, dem Himmel sei es gedankt! nie
so tief, daß ich hätte meine Subsistenz auf
einen so traurigen und geistlosen Erwerbszweig
gründen müssen; wäre es der Fall gewesen, so
würde ich es hier, zu meiner größten Ehre,
eingestehen, denn nach meinen Grundsätzen kann
keine Art, sich auf ehrliche Weise zu nähren,
je schänden. Der unsterbliche Philosoph J.
J. Rousseau mußte bekanntlich mehrere
Jahre sein Leben durch den Ertrag des No=
tenabschreibens fristen, und dennoch ent=
wickelte er in der Folge oft durch zwanzig Zei=
len seiner Schriften mehr Scharfsinn und Witz,
als manche elende Zeitschrift im Laufe eines gan=
zen Jahres darstellt.

Wird aber nicht jeder rechtliche Mann —
pfui! und abermals pfui! rufen, wenn

er hier von den allerhämischsten Nichtswürdig=
keiten unterrichtet wird, die jetzt leider im Ge=
biete der schönen Künste immer weniger unter
die Seltenheiten gehören?

Energie und Bewußtsein heißen
die Lotsen, welche mich durch alle von Neid,
Rache und Mißgunst bereiteten Stürme bis
jetzt glücklich und wohlbehalten leiteten, denn
so tief ist kein deutscher Staat gesunken, daß
er ehrliche Leute auf den Grund anonymer
Verläumdungen und unerweislicher schändlicher
Beschuldigungen verfolgen möchte.

Jener elenden Clique zum Trutze
trete ich mit einem neuen Produkte zum Vor=
schein; und ich schmeichle mir mit der Hoffnung,
daß es von dem unparteiischen Theile des
Publikums, der, Gott Lob! bei weitem der be=
deutendste ist, gütiger und nachsichtsvoller denn
je werde aufgenommen werden.

Der Verfasser.

II.

Briefe nach Norddeutschland, geschrieben aus Wien, im Lenze des Jahres 1822.

I.

Du hast mich ersucht, mein theuerster K., den mit dem Schluſſe des Bockſprunges verloren gegangenen Faden, im Verfolge meiner Reiſe, wieder aufzunehmen, und da ſich die Wünſche meines vorurtheilfreien, braven Verlegers mit den Deinen vereinigen, ſo hänge ich an den Schweif des entlaufenen, heilloſen Bockes ſchon ganz gerne ein neu geboren und feineres Thierlein, welches mir ebenfalls hoffentlich Niemand ein Langohr ſchelten ſoll.

Bevor ich mir erlaube, Dir meine eigenthümliche Beobachtungen über die berühmte Kaiserstadt mitzutheilen, magst du mir indeſſen noch einige Rückblicke nach Böheims

Hauptstadt zugestehen, denn ich liebe die Rück=
blicke überhaupt ungemein, weil der Schauer
in die Vergangenheit meist unbefange=
nere und klarere Resultate erringt, als die
Würdigung der Gegenwart zu leisten vermag.

Wenige Tage vor meiner Abreise von Prag
wohnte ich noch der Feier des Geburtstages
Sr. Majestät des Kaisers von Oestreich
bei, und ich muß gestehen, es blieb dieses in
der That ein höchst imponirendes Fest. Das
herrlichste Wetter begünstigte den Tag; die
zahlreichen Truppenabtheilungen der Garnison
versammelten sich auf ihren Waffenplätzen in
höchster Galla, endlich zogen die Reihen unter
dem Klange kriegerischer Musik feierlich dem
stolzen Hradschin zu, und das geübteste Auge
konnte heute keinem Regimente vor
dem andern einen Vorzug einräumen, die
Haltung und Adjustirung Aller verdienten glei=
ches Lob und Bewunderung.

Jetzt waren die Züge auf dem Gipfel der
Höhe angekommen; einige Bataillone stellten
sich vor der kaiserlichen Burg, andere aber in
den Höfen derselben auf; die höchsten Militär=

und Civilbehörden traten nebst ihren zahlreichen Suiten in die alterthümliche Metropoli= tankirche; Volksmengen strömten nach, und Graf Chlumezansky, Böheims from= mer und würdiger Erzbischof, betrat im prunken= den Oberpriestergewande des Altars Stufen.

Das hohe Amt begann, nun ertönte das feierliche: Te deum laudamus; Pauken wir= belten, Trommeten schmetterten, jene Bataillone gaben Salven, die auf einer andern Seite der Anhöhe aufgestellte Zwölfpfünder = Batterie sendete ihre Donner hinab in's weite Thal, und der laute Jubel der Volksmenge erfüllte die Lüfte.

Franz I. ist in der That von sei= nen Unterthanen im Allgemeinen in= nig und aufrichtig, wie ein guter Va= ter von dankbaren Kindern geliebt *). Die Feier solcher Feste zwar, wie die so eben beschriebene, beweist nichts, denn Aehnliches

*) Dort, wo auffallende Uebelstände sich zeigen, geben die Unterthanen nie ihrem guten, geliebten Franz, sondern ganz andern Leuten die Schuld, wie ander= wärts der Fall auch häufig genug anzutreffen ist.

vermögen auch feile Satrapen ihren verach=
tungswerthen Tyrannen zu veranstalten, allein
Thränen der Rührung auf die Wan=
gen zufriedener Unterthanen zu zaubern, auf=
richtige Gebete, für des Herrschers Wohl
aus ihrer Brust zu rufen — dieses wird der
wohldienende Fürstenknecht stets verge=
bens versuchen, und gerade solche Thränen
flossen an dem Tage, welcher Franzen
einst das Leben gab, in Fülle, und einige
Bitten um sein Leben und Wohl, stiegen aus
tausend edlen Herzen hinan zu des Allerhöch=
sten Strahlenthron.

Mittags war große Tafel beim Erzbischof,
und mit einem glänzenden Balle beschloß der
in Böhmen kommandirende General, Graf
Kollowrath, die Feier des Tages, welcher
überdieß in allen häuslichen Zirkeln festlich
vollbracht worden war.

Ich nannte oben den Grafen Chlumc=
zansky einen würdigen, frommen Bischof;
allein er ist noch mehr: die drückendste Ar=
muth ehrt in ihm ihren Vater, der Unter=
drückte einen helfenden Tröster — und solche

Vorzüge gelten mir höher als Krummstab
und Bischofsmütze.

Uebrigens wohnt dem Grafen, im ganzen
Sinne des Wortes, jene kindliche Ein=
falt bei, welche die ersten Diener der Kirche
karakterisirte; allem Eitlen und Weltlichen
bleibt sein frommer Sinn entfremdet, und in
den Zirkeln der nichtsbedeutenden Konvenienz,
und auf der Bühne der schalen Komplimenten=
welt strebt er gerade nicht eine glänzende
Rolle zu spielen. Die Behauptung zu unter=
stützen, werde ich Dir aus des Erzbischofs Le=
ben ein paar Züge mittheilen, welche Du, skop=
tisches Weltkind! vielleicht belächeln wirst, die
dagegen aber mein frommes Gemüth mit
wahrer Rührung erfüllten.

Als vor einigen Jahren der Kaiser mit
seiner nunmehrigen erlauchten Gemahlin Prag
mit einem Besuche beehrte, fragte er den Erz=
bischof, welcher ihm vorgestellt worden war,
lächelnd:

„Nun, mein guter Chlumczansky! was
giebt es Neues in Böhmens Hauptstadt?"

Der Priester erwiderte hierauf ganz ernst:

Eure kaiferl. Majeftät werden allergnä=
bigft verzeihen, es giebt bei uns gar nichts
anderes Neues, als daß im vorigen Jahre
Ormitfchka Liebich *) geftorben ift.

Der reiche Graf Clam=Gallas unter=
hält in feinem Pallafte ein Privattheater, auf
welchem jährlich von dem Prager Adel zur
Zeit der Faften, zum Beften der Armuth,
fehr gelingende Darftellungen gegeben werden.
Einft wurde Schillers Maria Stuart
von der edlen und kunftfinnigen Gefellfchaft
aufgeführt; der Erzbifchof hatte einen Ehren=
fitz im Parterre inne, als aber nun die Grä=
fin Clam=Gallas, als Elifabeth von
England auftrat, hielt es der gute Graf
Chlumczansky für fchicklich, die Frau vom
Haufe zu bewillkommen; er erhob fich dem=
nach von feinem Sitze, und unterbrach, zu
nicht geringem Erftaunen der ganzen Ver=
fammlung, die Vorftellung mit folgenden,

---

*) Ormitfchka bedeutet fo viel als ein guter
armer Teufel; Liebich war der Name
eines fehr geachteten Schaufpieldirektors zu Prag.

sehr laut und pathetisch an die Königin Eli=
sabeth gerichteten Worten:

„Ich gebe mir die Ehre, Ihro Hochgräfl.
Gnaden einen guten Abend zu wünschen und
mich Dero Gnade gehorsamst zu empfehlen."

Auch einer Prager Redoute hatte ich noch
Gelegenheit beizuwohnen.

Das Lokale ist schön und geräumig; zwei
Orchester spielen abwechselnd in zwei verschie=
denen glänzenden Sälen; was aber die Ver=
sammlung selbst betraf, so entsprach sie kei=
nesweges den Erwartungen, welche man in
dieser Hinsicht allerdings in einer Stadt hegen
dürfte, die nach Wien und Berlin sich als die
bedeutendste darstellte, wenn man sie mit un=
ter Deutschlands Städte zählen möchte. Die
Gäste fanden sich bei diesem Balle sparsam
genug ein, und die Karaktermasken selbst
konnten im eigentlichsten Sinne des Wortes
confluxus canalliorum gelten, denn die Ge=
schmacklosigkeit und Malpropreté der Kostüme,
so wie die dummen und rohen Antworten der
Masken selbst, ließen ohne Anstand die ver=
mummte Volkshefe entdecken.

Ich fragte eine Jeanne d'Arc: „Welcher Oriflamme, meine Jungfrau! folgst du diesen Abend?" — Doch die Jungfrau erwiderte, zur großen Belustigung der Umstehenden, höchst aufgebracht: „Schweige, Ungesitteter!" Ich hätte in der That gern wissen mögen, was für ein Ding jene Jungfrau unter der Oriflamme sich vorgestellt haben mochte. —

Bald nach dem Beginnen der Reboute bemerkte ich auf den Seitentischen beinahe eben so viele große steinerne Bierplutzer, als Gäste im Saale gegenwärtig waren, und um diesen seltsamen Ball paré recht brillant zu machen, erschien endlich noch ein Rudel aus Thaliens jüngsten und reizendsten Priesterinnen bestehend; die Damen hatten ungemein stark Roth aufgelegt und der ohnehin dürftigen Theatergarderobe zum Theil ihr Kostüm für diesen Abend abgeborgt.

Man sagte mir, daß alle übrige Prager-Redouten so ziemlich der so eben beschriebenen gleichen sollen, nur eine —, die letzte oder vor-

2

letzte — zeichnet sich vor ihren ältern Schwe=
stern ungemein vortheilhaft aus, indem selbst
der hohe Adel die letztern mit einem kurzen
Besuch beehrt, bei welcher Gelegenheit ein un=
gemein glänzender Prunk sichtbar wird.

Ein Tanzmeister Brunetti veranstaltet
während des Karnevals zu Prag Bälle, welche
sehr anständig sein sollen; nichts destoweniger
fand ich auch einen dieser Bälle nur sehr spar=
sam besucht.

2.

Auf der kleinen Reise von Prag nach
Wien, welche ich geflißentlich in sehr klei=
nen Stationen zurücklegte, indem ich auch meh=
reremale die Landstraße ganz verließ, und grö=
ßere oder kleinere Abstecher ins Land selbst
machte, gelangte ich zu der festen Ueberzeu=
gung, wie man doch gar sehr irren kann, wenn
man ein ganzes Reich oder Volk nach den
Bewohnern der Hauptstadt beurtheilt, welche
eo ipso die höhere Stufe der Kultur erreicht ha=
ben. Nach einem längern Aufenthalte in Prag
war ich in der That überzeugt, daß viele

neuere Schriftsteller die Bewohner der böhmi=
schen Hauptstadt zu hart und ungerecht beur=
theilt hatten, nachdem mir aber das Innere
des platten Landes genauer bekannt geworden
ist, muß ich nach sorgfältiger Prüfung, und
weit von jeder Parteilichkeit entfernt, leider
eingestehen, daß Alles, was über die Tücke,
den Aberglauben, die Rohheit und die Schwei=
nerei des gemeinen Böhmen so oft ge=
schrieben worden ist, nur allzu gegründet ist;
ja, was die Malpropreté betrifft, so können die
Böhmen dreist mit jedem andern Volksstamme
der Slaven in die Schranken treten.

Jedermann weiß, wie frequent die Passage
von Prag nach Wien auf der sogenannten
großen Kaiserstraße ist, allein man trifft
auf keiner Route in Deutschland im Durch=
schnitte elendere Gasthöfe, als hier. Der Fremde
wird grob behandelt und auf die unverschäm=
teste Weise geprellt, indessen er für die theuer=
sten Preise selten einen genießbaren Bissen er=
hält.

In Freynersdorf mußte ich in einem
Gasthofe übernachten, wie man in ganz Po=

len vergebens einen erbärmlichern suchen
würde; die schmutzige Wirthin wies mir ein
Bett an, welches mit dem Erdboden gleiche
Farbe theilte; ich bat um frischen Ueberzug
und bot dafür reichlichen Lohn, allein das
Weib erwiderte: „Ich habe nur das eine
Bett und für dasselbe nur den einen Ueberzug, welcher jedes Jahr einmal zu Ostern
gewaschen wird, und da kann der Herr denn
wieder bei uns einkehren, wenn's ihm jetzt
nicht gefällt." Bei diesem Bescheid blieb es
und ich zog vor, die kalte Nacht im Wagen
zuzubringen.

Im Allgemeinen bewohnt der Böhme ein
fettes, sehr ergiebiges Land, und ihm selbst
sind in der Regel nicht gewöhnliche Geistesan-
lagen angeboren; allein man ist in diesem
Lande in der Kunst, das Feld zu bauen, wie
in jedem Zweige der Landwirthschaft noch ungemein weit zurück, und schwer genug möchte
es halten, diese eigensinnigen Leute zum Bessern
zu leiten.

Allerwärts erblickt man erbärmliche Zerr-
bilder von Holz oder Stein, vor denen sich

ekle, zerlumpte Kreaturen im Staube winden, und es blieb für mich ein trauriger Anblick, die Religion durch den bizarrsten Aberglauben so herabgewürdigt zu sehen. Die Bettelei ist hier zu Hause, und wohl darf man auf seiner Hut sein, nicht bestohlen zu werden. Selbst die wohlhabenden Einwohner, wie z. B. Wirthe u. dgl. tragen mit ihren schmutzigen Kleidern einen gewissen unangenehmen Geruch umher, der uns, wenn wir auch nicht an schwachen Nerven leiden, in der That Ohnmachten verursachen könnte. In Deutsch=brod sprach ich mit einem jungen, sehr unterrichteten Priester, der aber so unleidlich stank, daß ich, das mir sehr interessante Gespräch plötzlich abbrechend, mich von ihm wenden mußte.

Zwischen Planian und Kollin fragte ich einen Herrn Pfarrer, der bei einem wohlgenährten Pächter in der Kalesche saß, um Auskunft über die Lage des berühmten Schlachtfeldes aus dem siebenjährigen Kriege, allein beide Herren versicherten und zwar sehr ernst: „Es sei hier, dem Himmel Dank! bei Men=

schen Gedenken keine Schlacht geschlagen wor=
den." Ich ließ die Esel sitzen, und leicht gelang
es mir nachher, mich durch Hülfe der Spe=
cialkarte und des fleißig gestochenen Schlacht=
planes zu orientiren; ich beritt die merkwür=
digen Höhen und das ganze Schlachtfeld, und
trank endlich in demselben Gasthofe ein Glas
Wein, in welchem der **große Friedrich**
die Nacht vor der Schlacht zugebracht hatte;
viele seltsame Betrachtungen drängten sich mir
bei Prüfung dieses in der Kriegsgeschichte so
merkwürdigen Terrains auf, doch sind sie
nicht zur Mittheilung für den größern Theil
meiner Leser, und wer von der Kolliner Schlacht
eine Relation nachlesen wollte, den würde
man auf **Archenholz's** vortreffliche Geschichte
des siebenjährigen Krieges verweisen.

In **Wien** werden die **Böhmen** die
besten Köche, die geschicktesten **Kutscher**
und die ausgezeichnetsten **Musiker** der Welt
genannt; allein von der böhmischen Kochkunst
wurden mir wenige empfehlungswerthe Pro=
ben zu Theil, und ihre Geschicklichkeit im Wa=
genlenken vermag ich eben auch nicht zu prei=

sen; auf der Landstraße fahren sie häufig an
einander an, und ein böhmischer Kutscher, der
mich fuhr, bog so ungeschickt mitten in die
Krone eines Baumes aus, daß ich durch ei=
nen starken Ast beinahe das rechte Auge ver=
loren hätte.

Iglau ist die einzige Stadt von einiger
Bedeutung, welche man auf der Route von
Prag nach Wien passirt. Das Städtchen
liegt auf einer Anhöhe keinesweges unange=
nehm. Iglau behauptet in Böheim jenen
Ruf der Lächerlichkeit, der anderwärts dem
berüchtigten Schilda und dem schlesischen
Polkwitz beiwohnt. Die Prager wissen
von den Iglauern allerlei Schnurren zu
erzählen, von denen die eine, welche ich Dir
in der Geschwindigkeit mittheilen will, mich
in der That lachen machte.

Ferdinand II., hochseligen Andenkens,
berührte einst auf einer Reise von Wien nach
Prag die in Rede stehende Stadt und wurde
an den Thoren von dem Magistrate feierlich
empfangen. Der regierende Bürgermeister

hatte eine ellenlange Anrede einstubirt, allein
der Anblick kaiserlicher Majestät brachte den
guten Mann also außer Fassung, daß er auch
nicht eine Silbe vorzubringen im Stande war.

Lächelnd sprach endlich der z w e i t e Fer=
dinand: „Gott grüß' Euch, ihr Herren von
Iglau!"

Allein auch diesem freundlichen Gruße blie=
ben senatus populusque iglavensis Antwort
schuldig, worauf sich die Majestät wieder ver=
nehmen ließ:

„Ich kehre nach sechs Wochen in meine
Residenz zurück, und nach dieser Zeit erst sollt
ihr, hochedle Herren! meinem Gruße eine
passende Antwort entgegenstellen, allein — ihr
habt Zeit genug, Euch zu fassen — Eure Ant=
wort muß auf meinen Gruß sich r e i m e n."

Nun war große Noth in der guten Stadt,
der regierende Bürgermeister und sämmtliche
Magistratspersonen zerbrachen sich vergebens die
Köpfe, es wollte auf das Wörtlein: Iglau"
durchaus kein Reim sich finden; endlich hörte
des Bürgermeisters alte Köchin von der gro=

ßen Verlegenheit der Herren und sie sagte dem
Gebieter lachend: Eure Wohlweisheit dürfen
dem Herrn Kaiser auf sein: „Gott grüß Euch,
ihr Herren von Iglau!". ja nur erwidern:
„Wir danken gar schön im Namen unsrer
lieben Frau!" und die Sache ist abgemacht."

Die Wohlweisheit fanden der alten Köchin
Einfall gut und prägten sich die Replik mit
großer Anstrengung glücklich ins Gedächtniß.

Endlich erschien Ferdinand, zum zwei-
tenmal sprechend: „Gott grüß Euch, ihr Herren
von Iglau!" und ganz muthig antwortete
die Wohlweisheit: „O wir haben den Reim
längstens und danken gar schön im Namen
der Mutter Gottes!"

Eine wandernde Komödianten-Trup-
pe treibt gegenwärtig in der guten Stadt
Iglau ihr Wesen; ich sah von ihr die
deutschen Ritter vor Nicäa (Kotze-
bues Kreuzfahrer) darstellen, vermochte
aber mit dem besten Willen nur einen halben
Akt auszuhalten, denn noch mehr der Muse

Dienst zu profaniren, als hier geschah, bleibt
rein unmöglich.

Zwar hebt bereits in der Gegend Jg=
laus die Grenze von Mähren an, allein
erst unfern dem Städtchen Znaim glaubte
ich in Sitten, Kleidung u. dgl. eine bedeu=
tende Verschiedenheit wahrzunehmen, doch von
hier an zeigt nicht nur die Natur eine heiterere
Gestalt, sondern selbst die Menschen schienen
mir ungemein anmuthiger, verständiger, rein=
licher und vorzüglich auch artiger, denn in
Böheims plattem Lande; die gesegneten
Kinder des Wohlstandes und der Industrie
werden in Mähren allerwärts sichtbar, und in
den Dörfern erblickt man statt der höchst häß=
lichen und schmutzigen böhmischen Land=Wei=
ber, wohlgebaute reizende Mädchen in einer
höchst bildlichen Tracht, und auch die Männer
tragen Kleider von feinerm Tuche und an=
sprechenderm Schnitte.

Znaim ist ein recht freundliches Städt=
chen, und auch hier hat Thalia ein Tem=
pelchen aufgeschlagen, welches wenigstens vor

dem Iglauer einen bedeutenden Vorrang behauptet.

Ein Offizier von der kleinen Garnison hatte die Güte, mir, auf den vor dem Städt= chen gelegenen Weinhügeln, genau die Po= sitionen anzuzeigen, welche die kämpfenden Parteien in den bekannten Gefechten des Jah= res 1809 in dem Augenblicke inne gehabt hat= ten, als der inzwischen geschlossene Waffen= stillstand, plötzlich alle Feindseligkeiten unter= brach. Der patriotische östreichische Krieger bedauerte noch diesen Umstand höchlich, denn nach seiner Versicherung brachte jener Zufall die östreichischen Waffen um einen glänzenden Sieg, indeß mich, den unbefangenen militäri= schen Beobachter, der Augenschein gerade vom Gegentheil überzeugte; die ungestüme Tapfer= keit der wackern Baiern hatte die Höhen erstiegen und den Feind aus einer vortheilhaf= ten Position nach der andern bis unter die Mauern von Znaim geworfen, in welches Städtchen bereits baiersche Haubitzgranaten flogen, als ein Federstrich den Donner der Geschütze verstummen machte.

Vom Aberglauben sind Mährens' Be=
wohner freilich auch nicht frei, doch offenbart
er sich nicht so groß als in Böhmen. Der
heilige Johann v. Nepomuk steht nicht in
großen Ehren, denn St. Florian allein be=
hauptet in Mähren als Landespatron
große Rechte; man erblickt ihn in ritterlicher
Rüstung, in der Rechten eine bunte Fahne
haltend, auf den Wänden der meisten Häuser
angekleckst, und immer ein lichterloh brennen=
des Häuslein darneben, weil St. Florian
Hauptprotektor aller Löschanstalten ist; die Idee
recht deutlich zu versinnlichen, ist dieser Hei=
lige in Jetzelsdorf an ein Haus gemalt,
gerade im Begriff, ein in Flammen stehendes
Haus durch s. v. Pissen zu löschen, ein Skan=
dalum, worüber gerade der für ächte Religio=
sität Empfängliche sich nothwendigerweise är=
gern muß.

Wie man mich versicherte, verwendet sich
St. Florian, um Flammen jeder Art zu
löschen, auf eifriges Anrufen heirathslustiger
Mädchen im Himmel bei'm Gott Vater in

der Art für dieselben, daß sie baldmöglichst
schöne, junge und reiche Männer erhalten.

„Ei, sagte ich dem Posthalter, der mich
mit dieser eigenthümlichen Tugend des Heiligen bekannt machte, mich wundert nur gar
sehr, daß St. Florian nicht in der ganzen
Welt vom schönen Geschlechte hoch verehrt
wird."

Lieber Herr! erwiderte mir der Schalk
schmunzelnd, dem heiligen Florian machen unsere mährischen Mädeln schon genug zu schaffen, daher kann er sich unmöglich noch mit
andern befassen.

Von — — — aus nach Wien legte ich
den Weg mit einem jungen Kavalier von einer sehr alten und geachteten Familie zurück,
der als Assessor bei der Regierung angestellt
ist. Dieser junge Mann verrieth viel Geist
und nicht gewöhnliche Kenntnisse, nur wohnte
ihm gar zu wenig Weltklugheit bei. Schon
während der ersten Station hatte er mich, ohne
Aufforderung, mit allen Geheimnissen des Dien-
stes, seines Herzens und seiner Familie bekannt gemacht.

Nur erst vor kurzer Zeit waren unter den
mährischen Landleuten Unruhen ausgebrochen,
von welchen öffentliche Blätter, als von einer
ganz unbedeutenden und geringfügigen Sache
sprachen; allein ich fand an Ort und Stelle
Gelegenheit, mich zu überzeugen, daß jene
Vorfälle gerade ganz und gar nicht so ge-
ringfügig gewesen sein können.

Die eigentliche Leibeigenschaft wurde in
Mähren sowohl als in Böhmen bereits
im Jahre 1781 aufgehoben, allein die mährischen Bauern blieben nichts destoweniger größtentheils noch verpflichtet, Frohndienste *)
zu leisten, zu welchen sie von den adeligen
Gutsbesitzern nicht selten mit Härte angehal-
ten wurden.

Allein gleich wie in der allerneuesten Zeit —
die Abweichung des sonst gewöhnlichen Kli-

---

*) Die Frohndienste sind in Mähren für den
Landmann in der That höchst beschwerlich; auf
mehrern Herrschaften ist der Unterthan verpflichtet,
fünf Tage in der Woche für den Gutsherrn
zu arbeiten, und nur bei der ungünstigsten
Witterung bleibt dem unglücklichen verstattet,
die eigenen Hufen zu bestellen.

was und anderweitige große Naturerſcheinun=
gen deuten darauf hin — unſer Planet ſeiner
alten Bahn entrückt zu ſein ſcheint, ſo karak=
teriſiren auch ſeitdem ein ganz eigenthümlicher
Geiſt und ein unverkennbares nicht zu unter=
drückendes Streben nach dem höchſten Gute,
der Freiheit nämlich, das ganze menſchliche
Geſchlecht. Die mähriſchen Landleute fühlten
plötzlich ihr lange getragenes aber nicht deſtowe=
niger ſchweres Joch, ſie verweigerten einmüthig
die Leiſtung des Frohndienſtes, das heißt, nicht
einzelne Bauern, ſondern 42 Dorfſchaften wi=
derſetzten ſich, voll Energie, ihren — Gebie=
tern, und die Civilgewalt fühlte ſich im erſten
Augenblicke viel zu ſchwach, die Widerſpen=
ſtigen zu ihrer ſogenannten Pflicht zurück zu
führen.

Doch dergleichen und analoge Aufwallun=
gen ſchnell zu dämpfen, verſteht man nirgends
beſſer als in Oeſtreich. Man höre, wie? —
ich laſſe de verbo ad verbum meinen zuver=
läſſigen Gewährsmann ſprechen:

„Jo Sie könnens glauben, die Hallonken,
die Spitzbuben, die Bauernkanaillen machten

uns halt gar viel z' schaffen, aber i hob's
glei ksogt, 's' werd' nit lang dauern, denn
wir hoben halt glei an d' höchste Stell n'
Kourier gschickt und drauf sind a por Bataill-
lons Soldaten aus Wien rauser kömmen,
sind halt lauter ungerische Lait ge-
west, und die haben b' Hallonken zusammen
prügelt, daß a wohre Freud' gewesen ist an-
z'schauen; man hat halt d' Bauernspitzbuben
mit Gewalt zum Frohndienst gführt und bei
fünf Bauern sind halt immer sechs Soldaten
g'standen, und wenn b' Bestien nit garbeitet
haben, wie's liebe Vieh, so hat halt glei der
Haslinger (der Stock) a a Wort drein
gredt, und b' Hauptrabelsführer hat man
auf 'n Bund Stroh glegt, und hat sie g'haut,
bis die Zungen rausgreckt hoben, als wie 's'
Vieh, jo Sie können 's' glauben, i hob halt
selber g'sehen, daß a so aufrührerische alte
Bestie, die schon über 70 Jahr alt gwesen
ist, unter m' Haslinger krepirt ist."

Nachdem mein Referent die Stube verlassen hatte, nahete sich mir ein wohlgekleide-
ter und bescheidener Bürger, welcher der vor-

egangenen Unterredung als stummer Zeuge
eigewohnt hatte; Thränen schwammen in
es Biedermanns Augen, er drückte mir die
)and und sprach sehr bewegt:

„Leider ist alles, was Sie hörten, trockene.
Wahrheit; jener Greis, der unmenschlichen
Stockschlägen erlag, war ein braver, geachteter
andmann, der in allem mehr denn zwanzig
:inder und Enkel hinterließ. Der Unglück=
che lebte einst mit den Seinigen in großem
Wohlstande, unser unsterblicher Kaiser Joseph
atte einst das Haus des wackern Ackerbauern
iit einem Besuche beehrt; allein später wurde
iefer arme Mann durch die Barbarei seines
erschwenderischen jungen Gutsherrn an den
Bettelstab gebracht. Wohl verging sich der
)reis, allein er war zur Verzweiflung ge=
:izt und ein ehrenvolleres Ende war sei=
er werth. — O unvergeßlicher großer, guter
oseph!" —

Thränen erstickten den letzten hochbedeuten=
en Aufruf des ehrlichen Bürgers, und auch
h war sehr bewegt, indem ich im Stillen

3

langſam und ſinnig eine gewiſſe Stelle aus
Schillers Tell ſprach *).

Der Haslinger iſt in Oeſtreich das
dominirende Argument und wird es lange
noch bleiben, denn kein Staat in der Welt
hat weniger vor Volksaufſtänden zu zittern,
als gerade dieſer. Die Ungarn, die Oeſt=
reicher, die Böhmen und die vielen verſchie=
denartigen Völkerſtämme, welche dem öſt=
reichiſchen Scepter gehorchen, haſſen ſich un=
tereinander alle, wie die unverſöhnlichſten
Erbfeinde, und dieſer Umſtand iſt der Ta=
lisman, welcher der uneingeſchränkteſten
Souveränität das feſteſte Daſein ſichert,
denn dem Ungarn wird es ſtets eine Wolluſt
bleiben, den deutſchen Bruder zu züchtigen,

---

*) Es iſt von der Stelle die Rede, welche lautet:
„Das Land iſt ſchön und gütig wie der Himmel;
„Doch die's bebauen, ſie genießen nicht
„Den Segen, den ſie pflanzen. —
„Das Feld gehört dem Junker und dem Kaiſer.
„Dem Herrn gehört das Wild und das Gefieder;
„Der Strom, die Saat, das Salz gehört dem König,
„Er iſt der Eine, der ſie ſchützt und nährt.;
„Doch darf der Nachbar nicht dem Nachbar trauen.

wie dagegen der tückische Böhme und der
welsche Unterthan sich keineSweges entblöden
würden, auf die andern alle loszupauken.
Wahrlich, die großen Summen, welche das
zahlreiche Heer der Naderer (geheime Polizei) dem Staate kostet, könnte füglich er-
spart werden.

* * *

Anmuthige Rebenhügel und romantische
Landschaften entzücken in dem Maaße häufi-
ger das Auge des für Naturschönheiten em-
pfänglichen Reisenden, je mehr er der eigentlichen östreichischen Grenze sich nähert, und
immer lebhafter wird die Landstraße, wenn
man nämlich rasch dem Hauptziele, der berühmten Kaiserstadt, zueilt.

Von Enzersdorf an gewähren der
sogenannte Kahle und der Leopolds-
berg, so wie der gigante Stephansthurm Wiens einen schönen und imposanten Anblick; endlich erreicht man die große
hölzerne Donaubrücke und die Tabor-
linie, wo sich zu jedem ankommenden
Fremden ein Polizeisoldat sans façon in den

3 *

Wagen setzt, und ihn, wie einen Arrestanten, nach dem Hauptmauthgebäude bringt, wo das Gepäcke streng durchsucht wird. Der letztern Procedur wegen rathet man jedem Reisenden, sich also einzurichten, daß er nicht spät am Abend, sondern wo möglich Vormittags die Linien Wiens gewinne.

III.

Schreiben aus Passau nach Norddeutschland, im Sommer des Jahres 1822 abgesendet.

Es war am Tage, der aller Narren Fastnacht genannt wird, mein theuerster K., als ich in Wien eintraf, und ich gestehe Dir, daß mir dieser Zufall eine günstige Vorbedeutung galt, denn — was auch Narrenfeinde gegen die Behauptung einzuwenden haben dürften — meines Lebens Erfahrungen leiteten mich zu der Ueberzeugung:

daß eine zahlreiche Narrenheerde
weniger die Ehre und Ruhe des
finnigen Kosmopoliten zu be=
bräuen vermag, als die Ränke ei=
ner einzigen klugen Beftie es in
Stande find.

Einige Monate verlebte ich in der Kai=
ferftadt, allein ich konnte während der
ganzen Zeit nicht zu einer regelmäßigen Kor=
refpondenz gelangen, denn ich mußte von
früh Morgens bis in die fpäte Nacht —
fehen, hören und fchweigen; in der Gei=
fterftunde allein brachte ich meine Beobach=
tungen in wenigen, nur mir allein verftänd=
lichen Hieroglyphen zu Papier, und ich
fand in der Folge fattfame Urfache, meine
Vorficht zu fegnen.

Ich entziffere nur für Dich, mein theuer=
fter K., und für das liebe Publikum neben=
bei, meine Wiener Trutenfüße in einem
glücklichen freien Lande, wo man
nicht nur fehen und hören, fondern, Gott
Lob! auch fprechen und zwar recht ver=

nehmlich sprechen und schreiben darf, und
der Trutenfüße ganz und gar entbehren
kann.

Ich finde mich übrigens mit meinen Wie=
ner Hieroglyphen gut zu Recht, und sie
bieten mir so häufigen Stoff, daß sie sich
wohl zu einem dickleibigen und wohlge=
nährten Kindlein umgestalten dürften.

Auf dem linken, ungemein romantischen,
hohen Ufer der Donau, unter dem kühlen=
den Schatten eines duftenden Fliebers im An=
gesichte der altergrauen Thürme der ehrwür=
digen Veste Oberhaus schreibe ich diese
und die folgenden Zeilen, und wen diese Um=
gebungen nicht begeistern, wessen Genius sie
nicht zum Strahlenthron der Göttin Wahr=
heit zu erheben vermögen, wird der Begeiste=
rung und der Göttin Sphäre ewig entfremdet
bleiben.

Doch auch jetzt vermag ich mich nicht von
der mir durch Gewohnheit so lieb gewordenen
Form zu trennen, welche ich meinem Lieb=
linge, dem gallischen Feuerkopfe Langle, nün

schon so oft nachbildete, und deren — der
Erfolg zeugt davon — auch meine Freunde
und das große deutsche Publikum noch immer nicht müde geworden zu sein scheinen.

Du wirst, guter K.! in meinem Büchlein
vielleicht Manches vermissen, was Du zu finden erwartet, dagegen aber wieder auf Dinge
stoßen, die Du hier berührt anzutreffen nicht
hoffen durftest. Es möge Dir belieben, des
Räthsels Deutung hinzunehmen: Zwar sah
der deutsche Buchhandel seit vielen Jahren
kein eigentliches in sich selbst abgeschlossenes
Werk über Wien mehr, allein über einzelne
Theile der Kaiserstadt war zufällig gerade
in der neuesten Zeit, in den vielgelesenen
deutschen Journalen die Rede, und ich be-
scheide mich daher gern, über jene Gegenstände
weitläufig zu schreiben, mit welchen gebildete Leser ohnehin ohnlängst näher bekannt
gemacht worden sind. Wenn ich dagegen anderwärts Dinge berühre, welche sich mit der
vermeintlichen Tendenz eines solchen Büchleins
nicht zu vertragen scheinen, so mag man dieses
meiner eigenthümlichen Methode zu Gute hal-

ten, die noch nie gewissenhaft des Kindes
Namen im Auge behielt.

Der Kaiser und seine Familie.

Il vero onore à ch'uom da ben ti tenga Cias-
cuno, e che tu sia.

Ariosto.

*　　*　　*

Daß Franz der I. wie ein Vater von guten Kindern, also auch von seinen Unterthanen geliebt werde, wurde schon oben behauptet, und man setzt sich hier gern dem Vorwur-
fe der Wiederholung aus, weil eine schöne
Wahrheit nicht oft genug dargestellt werden
kann.

Einfach, fromm, gerecht und höchst gut-
müthig offenbart sich Franz des I. Karakter
allerwärts, und mancher Ausländer hegt von
diesem Monarchen in der That Begriffe, die
sich während eines kurzen Aufenthaltes in
Wien sehr bald — berichtigen.

Dem Aeußern nach hat der Kaiser seit einigen Jahren sehr gealtert, doch sein Geist blieb jung, und er besitzt mannigfaltige sehr schätzbare Kenntnisse, und versteht fünf Sprachen zierlich zu sprechen und richtig zu schreiben.

Der Kaiser ist leicht zugänglich, denn er giebt jede Woche allgemeine große Audienzen, zu welchen jedes anständige, sowohl in= als ausländische Individuum ohne große Schwierigkeit Zutritt erlangen kann.

Der Lüge und der Schmeichelei blieb der Kaiser Franz stets ein abgesagter Feind, und mit ernster Würde weiß er beide häßliche Ausgeburten aus Pandorens Büchse von sich zu entfernen.

Einst präsentirte sich ihm ein junger Mann von Stande, und mit einem vortheilhaften Aeußern ausgestattet.

„Euer Majestät, ließ der Bittsteller sich vernehmen, ich bereitete mich schon seit Jahren zu' einer diplomatischen Carriere vor, ich spreche und verstehe die meisten todten und lebenden Sprachen, und glaube überhaupt

längst zur Betretung der erwählten Laufbahn
hinlänglich ausgebildet zu sein; dessenungeachtet kann ich nie ein Ziel erreichen, weil Parteilichkeit und persönlicher Haß meiner Vorgesetzten mir im Wege stehen."

Der Kaiser redete hierauf den jungen
Mann zuerst in lateinischer, dann in Italie-
nischer und endlich in französischer Sprache
an; allein der angebliche vollendete Diploma-
tiker vermochte nicht eine Sylbe zu erwidern.

„Möglich, nahm Franz nach einer langen
Pause sehr sanft wieder das Wort, daß Sie
plötzlich die Fassung verloren haben; sammeln
Sie sich und tragen Sie mir nachher ihre
Bitte bestimmter in einer der drei Sprachen
vor, in welchen ich selbst Sie so eben ange-
sprochen habe."

Nun wandte sich der Kaiser zu andern
bei der Audienz gegenwärtigen Suplikanten,
und nach Verlauf einer halben Stunde erst
kehrte er zu unserm hoffnungsvollen Diplomaten
zurück, der indessen stumm war und blieb.

Der Monarch heftete einen langen und
ernsten Blick auf den Leichtsinnigen, dann

sagte er ihm mit Strenge: „Sie sind ein eben
so schamloser Verläumder, als Prahler —
meiden Sie, sogleich mein Angesicht."

Ein sehr geschickter Calligraph legte dem
Kaiser einen, aus lauter kühnen Schriftzügen
äußerst künstlich gebildeten Doppeladler *)
vor, und jede Feder in den Fittigen des be-
deutungsvollen Vogels war zugleich eine Sentenz, jedoch so fein und klein geschrieben, daß sie
mit unbewaffneten Augen unmöglich zu lesen
blieben.

Mit immer steigendem Wohlgefallen be-
trachtete Franz das Meisterstück, und endlich
forderte er den Meister auf, ihm die in den
Flügeln des Doppeladlers befindlichen Sprüche
abzulesen; es waren feine und witzige Kom-
plimente, deren Zweck es blieb, des Monarchen
ausgezeichnete Regententugenden zu preisen.

Ernster und immer ernster gestalteten sich
des Kaisers Gesichtszüge, bald aber unter-

---

*) Später fand auch das große Publikum Gelegen-
heit, das in Rede stehende Kunstwerk bewundern
zu können.

brach er den Lesenden, indem er ihm mit folgenden Worten ein Geschenk reichte:

„Nehmen Sie; Sie sind ein großer Künstler, wären Sie kein Schmeichler, ich würde
Sie kaiserlich belohnt haben."

Eine seltene Gedächtnißschärfe wird von
Franz I. auch gerühmt; was er einmal gelesen, soll er nie vergessen, und oft nach einer
langen Reihe von Jahren, früher gesehene
Personen wieder erkennen. Kutschera,
sein Generaladjutant, ein geborner neu ge-
adelter Böhme, soll des Kaisers Zutrauen
in einem hohen Grade besitzen, und sich desselben bei jeder Gelegenheit auch würdig
zeigen.

Die Kaiserin wird als eine ungemein verständige, gottesfürchtige und wohlthätige Dame
von der Hauptstadt und dem ganzen Lande
kindlich geliebt und hoch verehrt. Der Monarch pflegt häufig zu sprechen: „Ich besaß
mehrere hochschätzbare Gattinnen, doch Char-
lotte ist mir ein liebendes, ein zärtliches
Weib und eine anmuthige, sorgsame Haus-
wirthin."

Diese Aeußerung kennt in Wien Alt und Jung, und man hört sie mit inniger Rührung unzähligemal wiederholen.

Die kaiserlichen Prinzen gleichen alle, mehr oder weniger dem erhabenen Haupte der höchsten Familie. Held Carl ruht auf seinen Lorbeeren, gänzlich zurückgezogen von öffentlichen Geschäften, ein glücklicher Gatte und Vater, und oft vielleicht mag er nun sich lächelnd eines großen gallischen Dichters Worte wiederholen: „une eternité de gloire vaut elle un jour de bonheur?"

Den kleinen Napoleon, hier Herzog von Reichstadt genannt, fand ich zweimal Gelegenheit aus einer sehr geringen Ferne betrachten zu können. Er ist ein höchst lebhafter, schöner Knabe; die Anmuth der Gesichtszüge hat er von der erlauchten liebenswürdigen Mutter, den Ernst der schönen Stirn und der Augen muthiges Feuer vom unsterblichen Vater ererbt. Der Prinz erscheint nicht sehr häufig im Publikum; was man hinsichtlich seiner künftigen Bestimmung erzählt, sind Mährchen, man hat sich darüber höhern Ortes selbst noch nicht — bestimmt, und wer weiß, ob der schlummernde Genius nicht zeitig genug erwachen, und seine eigne Bahn kühn sich selber zeichnen wird.

Gedeihe, edler junger Aar! und fleuch dereinst muthig hinan — zur Sonne!!

Lindenauiana.

Bei der panischen Furcht der Wiener, an öffentlichen Orten über politische oder Staatsangelegenheiten zu sprechen, gestaltet sich die Unterhaltung in der Regel höchst dürftig, da die wissenschaftliche Sphäre $\frac{19}{20}$ Theilen der Einwohner, im eigentlichsten Sinne des Wortes terra incognita ist. Von den Vorzügen der gebacknen Hänlen, der gebratnen Schnitzel, des Maschanzerkoches *) und wie die Legion der Wie-

---

*) Eine Art Mehlspeise von Borstorferäpfeln bereitet.

ner Delikateſſen ſich ferner, eigenthümlich ge=
nug, benamſet hört man bis zum Ueberdruſſe,
und wenn endlich der Faden dieſer materiellen
Converſation reißt, nimmt die Geſellſchaft zu
einer Anekdotenjagd ihre Zuflucht, die
eben nicht intereſſanter als die Gourman=
diſe ſich darſtellt, weil ab= und verdro=
ſchene Sujets beinahe immer allein aufs
Tapet gebracht werden.

Von den ſogenannten ungariſchen
Anekdoten hat man ſo eben geſprochen;
iſt dieſer reichhaltige Born erſchöpft, ſo müſſen,
häufig genug, die Lindenauiana den Stoff
zur Unterhaltung leihen.

Der nun verſtorbene k. k. General Lin=
denau war ein höchſt bizarrer Sonderling,
auch großer Freund der Mädchen und des
Lebensgenuſſes überhaupt; er blieb den Wie=
nern unvergeßlich, und von den vielen Zügen,
welche ſie von dieſem Feldherrn erzählen, er=
götzten mich in der That einige dermaßen,
daß ich um ſo weniger Anſtand nehme, ſie
mitzutheilen, da mir die Ueberzeugung bei=
wohnt, daß dieſelben unter diejenigen Lin=

b e n a u i a n a gehören, welche bis jetzt dem
Drucke nicht übergeben worden sind, obwohl
anderwärts schon Fr. v. Cölln und verschie=
dene andere Autoren dieses martialischen Son=
derlings erwähnten.

Der Erzherzog ****** kommandirte im
Jahre 1809 eines jener Armeekorps, welche
nach Baiern vorgedrungen waren, und Lin=
d e n a u war dem Prinzen als Leiter beige=
geben.

Nach der bei A b e n s b e r g verlornen
Schlacht sprach, während des Rückzuges, einst
der Herzog zu L i n d e n a u und zwar sehr
bekümmert:

„General! was werden die Wiener sagen,
wenn sie von der verlornen Schlacht hören?“

L i n d e n a u erwiderte heiter und schnell:
Beruhigen sich Euer Hoheit immerhin, ich
kenne die Wiener, sie werden Euer Hoheit
e i n e n j u n g e n u n g l ü c k l i c h e n P r i n z e n
nennen, mich dagegen e i n e n a l t e n E s e l
schelten.

Im Jahre 1813, als plötzlich ein eigen=
thümlicher martialischer Geist in a l t e und

junge Deutsche gefahren war, beseelte der lobwerthe Genius auch die zahlreichen Wiener Straßenjungen; sie griffen vorerst zu hölzernen Waffen, formirten eine Bataillon, und wählten aus ihrer Mitte einen General, unter dessen Anführung sie sich jeden Abend auf einem freien Platze außerhalb der Stadt in den Waffen übten. Die schaulustigen Wiener strömten in Schaaren hinaus, sich zu ergötzen an der Geschicklichkeit ihrer lieben Straßenjugend, und auch Lindenau erschien eines Abends in voller Uniform und zu Pferde auf dem place d'armes de la jeunesse. Der Kindergeneral kannte seine Pflicht; er ließ bei Ansichtigwerdung des Feldherrn sogleich die hölzernen Flinten aufnehmen, und vor demselben verschiedene Evolutionen ausführen. Am Ende ritt Lindenau zu dem Kindergeneral hinan, und indem er ihm einen Dukaten reichte, sprach er sehr gnädig und freundlich: „Recht brav, recht brav, junger Herr Kriegskamerad! nimm' hier dieß Geld, und laß dafür deiner wackern Mannschaft — Kirschen kaufen."

4

Einst befand sich L., bei überfülltem Hause, im Theater; hinter ihm stand ein vornehmer, junger und arroganter Jude, mit einer ungeheuer langen Nase ausgestattet, der seinen Kopf auf des Generals linke Schulter lehnte, und demselben dadurch sehr beschwerlich fiel. Plötzlich nimmt L. sein Schnupftuch aus der Tasche und schnaubt dem Israeliten, wie man kleinen Kindern zu thun pflegt, die Nase. Der Sohn Israels fand sich beleidigt und überrascht, der General aber sagte ihm lächelnd: „Entschuldigen Sie, mein Herr! Ihre Nase befand sich so nahe an meiner Backe, daß ich dieselbe in der That für meine eigne Nase hielt."

In einer Gesellschaft gerieth L. einst mit einem Kavalier in einen heftigen Wortwechsel, und dieser rief endlich aus: „Mein Herr General! Sie scheinen mich nicht zu kennen; ich bin der Graf Fuchs."

Verzeihen Sie, entgegnete sehr ernst der Feldherr; daß Sie dem Thiergeschlecht angehören, bezweifelte ich keinen Augenblick,

aber für einen Fuchs hätte ich Sie nun und
nimmermehr gehalten.

Im Schooße Abrahams erst verstummte
Lindenaus witzige Laune.

Zacharias Werner.

Inter caetera mortalitatis incomoda, et hoc est,
caligo mentium: nec tantum necessitas errandi, sed
errorum amor.

Seneca.

* * *

Dieser Mann ist in neuern Zeiten, man weiß
nicht, soll man sagen, zu einer solchen Be-
rühmtheit oder Berüchtigkeit gelangt,
daß in Wien gewesen und seinen Vortrag
nicht gehört, daſſelbe beinahe bedeuten will,
als Rom verlaſſen, ohne den heiligen Vater
gesehen zu haben.

Ich hatte während der Fastenzeit dreimal
Gelegenheit, des Pater Werners Predigten
in der Kapuzinerkirche beizuwohnen.

4 *

Es war mehr ein günstiges, als ein ungünstiges Vorurtheil, mit welchem ich den Tempel betrat; denn wollte man des Mannes Apostasie, die sich immerhin schwer genug vertheidigen läßt, vergessen, so kann ihm anderwärts selbst der Neid nicht absprechen, daß er in seinen frühern Produkten eine lebhafte Phantasie, Tiefe und Klarheit und eine seltene Korrektheit entwickelte, und von der ergreifenden Beredsamkeit, welche Pater Werner als Kanzelredner auszeichnen sollte, wurde ja stets viel gesprochen und geschrieben.

Indessen muß ich ganz aufrichtig gestehen, daß meine Erwartungen, die ich von dem berühmten Apostaten hegte, auch im geringsten nicht erfüllt wurden.

Ich bin in der römisch = katholischen Religion geboren und erzogen, achte dieselbe hoch, und glaube mit den Prinzipien der hierarchischen Lithurgie genau vertraut zu sein; allein dieser Zacharias macht seinem Lehrmeister wenig Ehre, denn ich behaupte geradezu, daß der Mann in den eigentlichen Geist unserer Religion gar nicht eingedrungen ist,

indem er sich als Prediger dem aufmerksamen
Hörer unverkennbar noch immer als ein schwan=
kender, überspannter Mystiker darstellt, der
keinesweges die streng gezeichnete Bahn, son=
dern den Irrweg seiner eignen närrischen
Phantome verfolgt, und mir bleibt nur unbe=
greiflich, wie Wiens orthodoxe Cleri=
sei diesen überspannten Menschen, so ganz
gleichgültig, sein Wesen nach Belieben treiben
lassen kann.

Werner erscheint dem Beobachter als
ein gänzlich abgewelkter und entnervter Mann;
sein Gesicht ist blaß und eingefallen, und die
grauen buschichten Braunen sind so lang, daß
die Augen gar nicht sichtbar sind; dem Aeu=
ßern nach zu urtheilen, mag er wenigstens
sechzig Lebensjahre zählen, und des Mystikers
körperliche Konstitution ist dermaßen geschwächt,
daß er selbst seine Vorträge nicht mehr in
stehender Stellung, wie es in der katho=
lischen Kirche üblich ist, halten kann.

Leicht begreift es sich, wie dieser Mann,
ohne große Aufopferung, das Gelübde ewi=
ger Keuschheit ablegen konnte; in frühe=

rer Zeit war er, wie mich einige seiner ehema=
ligen Jugendfreunde versicherten, ein nicht
leicht ermüdlicher H***njäger und Bachus=
bruder; in Prag, wo Hr. W. einige Zeit
privatisirte, weiß man von ihm jetzt noch
manch' galantes Histörchen zu erzählen, und
man kann dieses Alles um so weniger in
Zweifel ziehen, da der Apostate auf öffentlicher
Kanzel, unzähligemal sich wiederholend, höchst
demüthig ausruft:

„Ich selbst war dereinst der größte Sün=
der und der verworfenste aller Frevler, allein
Gott der allmächtige ließ das Licht des Glau=
bens mich erkennen; folgt mir nach, geliebte
Zuhörer! die ihr dem unreinsten Thiere gleich,
im Schlamme der Laster euch wälzet."

Es verlohnt, der Seltsamkeit halber, in
der That der Mühe, einer Wernerschen
Predigt beizuwohnen; als ich dieses Glückes
zum erstenmal theilhaftig wurde, fing der
gute Pater damit an, daß er der frommen
Gemeinde von einem großen Realbogen eine
lange neue Dichtung aus eigner Fabrik vor=
las, die in einem so hohen Grade mystisch,

verworren und unverständlich lautete, daß ich
gleich meinen Kopf einsetzen möchte, wie nicht
zehn gläubige Seelen von der ganzen Ver=
sammlung nur im geringsten in den eigent=
lichen Sinn der Poesie einzudringen ver=
mochten.

Nach beendigter poetischer Vorlesung trug
Hr. Werner ein kurzes neues Gebet vor,
welches er ebenfalls für diesen Tag selbst ver=
fertigt hatte. Die Gemeinde mußte die Worte
wiederholen; allein der gute Pater spricht in
diesem Augenblicke noch den gewöhnlichen, den
ehrlichen Wienern sehr unverständlichen
ostpreußischen Dialekt, und die fromme
Gemeinde plapperte, zu meiner geringen Er=
bauung, so seltsame Worte nach, daß ich
glaube, selbst der Berliner berühmte Heinsius
hätte sich hier nicht zurecht finden können.

Endlich begann die eigentliche Predigt.
Herr Zacharias handelte vom königli=
chen Kreuzwege, und theilte seinen Vor=
trag in zwei Stationen ein; bei der ersten
hielten drei anmuthige Engelein, genannt:
Armuth, Demuth und Keuschheit

Wache, in der zweiten aber ließ er uns drei
abscheuliche dräuende Teufel — die jenen Tu=
genden entgegengesetzten Laster — schauen.

Nach dem populären Vortrag eines Abra=
ham a Santa Clara strebt Werner
zwar unverkennbar, allein er verfällt in den
Ton der berüchtigten Berliner Voigt=
länder, oder gerathet, sich vergessend, in die
Regionen der überspanntesten und dunkelsten
Mystik; seinem Publikum bleiben diese Dinge
stets unauflösbare und gänzlich unverständliche
Probleme, allein die Kirche ist, wenn W. die
Rednerbühne betritt, stets zum Erdrücken voll,
denn es blieb bis jetzt einmal Mode, ihn zu
hören.

Ich mußte bei dieser Gelegenheit immer
an ein uraltes Gemälde denken, welches man
in Wien an der Wand eines verfallenden
Hauses angekleckst findet. Das Bild (vide
Titelkupfer) stellt einen Fuchs vor — An=
dere wollen das Thier für einen Wolf ge=
halten wissen — der (sans comparaison!)
höchst eifrig den Gänsen predigt.

Die Meinung des gebildeten und vernünf=
tigern Theiles der Wiener ist in ihrem Ur=
theil über den Pater Werner getheilt:
Einige sehen einen Heuchler, Andere nur ei=
nen überspannten, schwärmerischen N****r
in ihm; vielleicht käme man, die Mittelstraße
haltend, der Wahrheit am Nächsten.
— Des guten Zacharias Deklamation ist
durchgehends fehlerhaft, er legt die stärkste
Betonung stets auf Wörte, wohin sie gar
nicht gehört. Ein Beispiel nur. Unter andern
ließ sich der Pater vernehmen:

„Ihr üppigen Schlemmer, die ihr nie und
nimmermehr genug kriegen könnt, werft einen
Blick hier auf unser Jesuskindelein; da liegt das
heilige arme Würmlein nackt und bloß, ledig=
lich ein klein wenig nur erwärmt durch den
Hauch eines rohen Ochsen und eines dum=
men — Esels.“

Die vorhergehenden Worte hatte der Redner
sehr gelassen und sanft gesprochen, das be=
deutende Wort: Esel aber brüllte er der=
maßen donnernd hervor, daß die ganze Ver=
sammlung erschrocken zusammenfuhr und Viele

konnten nachher nur mit Mühe ein lautes
Lachen unterdrücken.

Herr W. ist nunmehr in den Orden der
neu erstandenen Jesuiten — sie nennen
sich in Wien bekanntlich: Redemptoristen
oder noch lieber Liquorianer — getreten;
man behauptet in der Kaiserstadt durchgehends,
die Herren hätten sich hartnäckig geweigert —
die Thatsache macht wenigstens dem Verstande des Ordens Ehre — den berüchtigten
Apostaten in ihrer Mitte aufzunehmen, allein
ein kräftiger Impuls, den man hier
nicht berühren kann und will, bestimmte die
Obern nachzugeben.

Der Autorschaft hat Werner entsagt,
und als neulich ein Broschürchen unter seinem Namen erschien, ersuchte er den Hrn.
Buchhändler Wallishauser öffentlich zu
erklären, wie er (der Pater) keineswegs des
Büchleins Verfasser sei.

Selten unterläßt der fromme Zacharias, in der neuesten Zeit, seinen Vorträgen
folgenden wohlgemeinten Rath beizufügen:

Herzgeliebteste Freunde und Zuhörer! ich

habe, zu Hause ein Büchlein, es ist klein
und unscheinbar, allein es ist das Buch aller
Bücher, welches alle andere entbehrlich
macht, und das Jeder, dem sein Seelenheil
lieb ist, durchaus sich anschaffen muß; denn ihr
habt Geld, euren verdammten sündlichen Lü=
sten zu fröhnen, und so arm ist keiner, daß
er das wohlfeile Büchlein nicht kaufen könnte;
es betitelt sich: Thomas von Kempis,
von der Nachahmung Christi unseres
Herrn (de imitatione Christi), und wer die=
ses Büchlein liest und nach ihm seinen Wan=
del, sein Thun und Lassen leitet, der ist ge=
borgen, von nun an und in Ewigkeit —
Amen!"

Hochverehrtester Pater! auch ich kenne das
Büchlein, und habe es von Anfang bis zum
Ende gelesen; ich bin der Meinung, welche
längstens wackere und aufgeklärte
katholische Theologen öffentlich ausge=
sprochen haben, und die, ihrem wesentlichen
Inhalte nach, folgende ist:

„Es läßt sich mit Recht bezweifeln, daß
je ein Thomas von Kempis existirt hat,

hielt von jenem Werke Wind, bevor es noch
in den deutschen Buchhandel gekommen war,
und der Auflage größter Theil wurde auf
Kosten des Kaisers konfiscirt; das Buch blieb
scharf verpönt, und der Verkauf desselben in
den kaiserlichen Staaten sogar bei Zuchthaus-
strafe verboten. Ueberhaupt war jenes Werk
allerwärts schwer zu erlangen, jetzt ist es
längst vergessen; mir verschaffte es die Artig-
keit eines vornehmen ***h*.*schen Kavaliers, kurz vor meiner Abreise, auf einige
Tage zur Durchsicht. Wer aber beschreibt
mein Erstaunen, als ich in dem dreißig Jahr
alten Büchlein des Norddeutschen viele Grund-
behauptungen fand, welche mit den eigenen
psychologischen Notizen, die ich mir von den
Wienern in meiner Schreibtafel entworfen
hatte, haarklein übereinstimmten! Wie, rief ich
aus, wäre es möglich, daß die Bewohner der
Kaiserstadt in einem so langen Zeitraume, der
gerade in die schönste Epoche einer allgemein
europäischen Erleuchtung fällt, allein und
unbeweglich auf derselben Stufe der Kultur
stehen geblieben sein sollten? — und doch ver-

Ich dagegen, hochwürdiger Pater! besitze auch ein altes Büchlein, dem Sie als eifriger Redemptorist Ihre Aufmerksamkeit nicht versagen dürfen, weil der Autor ein glaubwürdiger Mann, der sich **Maier** nannte, selbst **Jesuit** war und sehr schätzbare Fragmente zur Geschichte seines Ordens lieferte. Das Wiedererstehen dieses Ordens zu **Wien** hat die Aufmerksamkeit der deutschen Welt erregt, und da ich überzeugt bin, daß von zwanzig meiner Leser kaum einer des Jesuiten **Maiers** alte Ordensgeschichte *) kennen wird, so glaube ich mir den größten Theil meiner Leser zu verbinden, indem ich ihnen einen gedrängten Auszug aus jenem verschollenen Büchlein liefere.

„Im Jahre 1547 wurde der Jesuit **Bobabilla** wegen großer Staatsverbrechen Landes verwiesen.

1560 ward **Gonzales Silveira** in **Monomotapa** als überwiesener Spion gehängt.

---

*) Das Werk befindet sich zu Wien in der kaiserl. Bibliothek.

1581 wurden Campian, Sherwin
und Briant zum Tode verurtheilt, weil sie
einen Aufruhr gegen die Königin Elisabeth
von England erregt hatten. Während der
Regierung dieser Königin hat man fünf Ver-
schwörungen der Jesuiten gegen ihr Leben
entdeckt.

1588 hetzten sie die Ligue gegen Heinrich III.

1593 bewog der Jesuit Varode einen
gewissen Barriere, den Dolch gegen den
besten der Könige zu zücken.

1594 jagte man die Jesuiten aus Frankreich, weil sie, erwiesen, entschiedenen Theil
an J. Chatels meuchelmörderischen Unternehmungen hatten.

1595 redete der Jesuit Guignard in
seinen Schriften der Ermordung Hein-
richs IV. das Wort, wurde aber ergriffen
und mit dem Tode bestraft.

1597 hielt man die sogenannte Congre-
gation de auxiliis, um über ihre neue
Lehre von der Gnade zu berathschlagen,
bei welcher Gelegenheit ihnen Klemens VIII.

öffentlich vorwarf, daß sie die Kirche mit Verwirrung erfüllten.

1598 bezahlten sie einen Bösewicht, reich=
ten ihm mit der einen Hand das Sakrament,
mit der andern den Dolch, und zwangen ihn,
den Prinzen Moritz von Nassau zu er=
morden, worauf sie aus Holland verbannt
wurden.

1605 wurden Oldecorn und Garnet
als Anstifter der Pulververschwörung in Eng=
land hingerichtet; auch zwangen sie den
Dogen von Venedig, sie als Rebellen aus der
Stadt zu jagen.

1610 ermordete Ravaillac auf Anstif=
ten des Ordens de soc. Jes. Heinrich IV.;
der Jesuit Mariana ließ noch in demselben
Jahre eine Apologie des Königsmörders
drucken.

1618 wurden die Jesuiten wegen Volks=
aufwieglereien aus Böheim verjagt, und
1619 mußten sie aus gleichen Ursachen Mäh=
ren meiden.

1631 erregten ihre Intriguen einen bluti=
gen Bürgerkrieg in Japan,

1641 erregten sie in Europa den unseligen Streit über den Jansenismus.

1709 zerstörte ihre. niederträchtige Eifersucht Port=Royal, Todte wurden ausgegraben, Mauern gestürzt.

1713 wirkten sie in Rom die berüchtigte Bulle: Unigenitus ꝛc. aus, welche unzuberechnendes Unheil verursachte.

1728 wandelte der frömme Pater Berrüyer die Bücher Mosis in einen schlüpfrigen Roman um, und ließ die Patriarchen die größten Zoten reden.

1730 erklärte der Jesuit Tournemin in Caen auf öffentlicher Kanzel: er halte die Bibel nicht für Gottes Wort.

1745 lästerte der Jesuit Pion die Sakramente der Buße und des Abendmahls; und warf das heilige Brot den Hunden vor.

1755 führten die Jesuiten in Paraguay die Einwohner dieses Landes in einer Schlacht gegen ihren rechtmäßigen Landesherrn an.

1758 wurde der König von Portugall unter Anführung der Jesuiten Malagrida,

Mathes und Alexander meuchelmörde=
rischer Weise um's Leben gebracht.

1759 wurden sämmtliche Jesuiten aus Por=
tugall gejagt.

1761 war die Epoche in Frankreich, wo,
nachdem die Jesuiten den Handel von Mar=
tinique an sich gerissen und Tausende un=
glücklich gemacht hatten, endlich ihr großer
Bankerott und des berüchtigten La Valette
Schandstreiche ihre Verbannung aus Gal=
lien beschleunigte.

So weit folgten wir unserm zuverlässigen
Gewährsmann, dem oben schon genannten
Pater Maier; indeß bleibt zu bemerken, daß
man, den Leser nicht zu ermüden, von dem
Sündenverzeichnisse des ehemaligen Jesuiter=
ordens nur einen Auszug geliefert hat. Nun
will man zeigen, in welcher Art, zum größ=
ten Heil der Christenheit, die wieder aufge=
lebten frommen Väter im Jahre 1822 in der
östreichischen Kaiserstadt prosperiren.

5

Klima.

Furchtsame und einfältige Men=
schen pflegen vorerst gewöhnlich vom Wet=
ter den Stoff zur Einleitung einer langwei=
ligen Conversation zu entnehmen, und wenn
schon der Autor mit diesen nicht gern sich ver=
mengt sehen möchte, so ahmt er doch hier die
Sitte nach.

Das Wetter, das Barometrum und Ther=
mometer bilden einen Hauptzweig der öffent=
lichen Unterredung zu Wien, den einzigen
beinahe, welchen man — nur ja nicht im
figürlichen Sinne — mündlich und schrift=
lich ohne Gefahr verfolgen darf.

Wenn man die verschiedenen Schriften,
welche in früherer Zeit über Wien heraus=
kamen, durchblättert, so muß man in der That
über die verschiedenartigen Meinungen lächeln,
welche die Herren Autoren hinsichtlich des Kli=

maß dieser Stadt hegten. Der Eine nennt es
trocken, der Andere feucht, dieser gesund, ein
Zweiter schädlich, ein Dritter gar tödlich.

Mich reizte es immer vorzüglich bei vorhan=
denen, verschiedenartigen Ansichten meine ei=
genthümliche darzustellen, und daher ent=
warf ich denn auch noch zu Wien, nach ei=
nem mehrmonatlichen Aufenthalte, den folgen=
den Aufsatz, den ich einen der berühmtesten
Sterngucker lesen ließ, mit dem ich zuweilen
im wilden Manne speiste. Der Astronom
lächte, nachdem er gelesen, recht herzlich, in=
dem er sprach: Sie haben's getrof=
fen, besser als Ihrer Vorgänger
einer; lassen Sie's auf meine Ge=
fahr drucken. Da nun jenem Sterngucker
Ironie stets fremd bleibt; so glaube ich es
riskiren und seinem Rathe folgen zu dürfen.

Das Klima in Wien ist unverkennbar
unbeständig und viel rauher als man, der
Lage der Stadt nach, glauben sollte. Scharfe
und zehrende Nord= und Ostwinde bleiben
die herrschendsten, und wenn der Sonne Auf=
gang auch den heitersten und ruhigsten Tag-

5 *

verspricht, so kann man sich nichts destoweni=
ger darauf gefaßt machen, daß sich stets gegen
Mittag Stoßwinde erheben, welche den
feinen Kießsand, aus dem hier der Boden
besteht, in dichten Wolken, welche die At=
mosphäre verfinstern, einhertreiben; vorgegan=
gene heftige Platzregen und das fleißige Auf=
sprißen vermögen die eigenthümliche Erschei=
nung nicht im geringsten zu hemmen. Der
Staub wirft sich auf die Brust und die Augen,
und wenn ein melankolischer Hektiker schnell
enden will, so eile er nur nach der Kaiserstadt,
sein Zweck wird nach wenigen Monden schon
erfüllt sein. Daß es in Wien nicht mehrere
physisch = Blinde giebt, blieb mir ein
Problem; wer an Augenschwäche leidet, ver=
sehe sich hier ja sobald als möglich mit Staub=
brillen. „Eine einzige Eigenschaft, bemerkte
einst sehr treffend ein witziger Kopf, theilen
die Hrrn. Wiener mit den Göttern des
Olymps; sie wandeln nämlich wie diese
beständig in Wolken, aber nicht in rosich=
ten Aether=, nein, nur in schmutzigen
Staubwolken einher."

Abends stellt sich von den nahen Gebirgen eine kalte und feuchte Luft ein, welche die Transpiration plötzlich hemmt und den Unvorsichtigen mit Rheuma und Gicht bestraft. Passatwinde stellen sich nie ein, daher man auch in der Gegend Wiens keine einzige Windmühle bemerkt.

Angenehme laue Weste und liebliche Zephire haben die Dichtungen eines Denis gebildete Wiener kennen lernen, in der Wirklichkeit gehören sie hier unter die Seltenheiten. Der Winter ist gewöhnlich rauh und kalt, der Lenz stellt sich, ich war in diesem Jahre Augenzeuge, ungewöhnlich früh ein; der Sommer zeichnet sich durch anhaltende Dürre aus und der Herbst bleibt hier die angenehmste Jahreszeit, denn die Luft ist nun milder und mit aromatischen Düften geschwängert, doch das Klima überhaupt mahnt in Wien keineswegs an Arkabien! Fremde vermag es nicht zu fesseln, doch schon manchen soll die Wiener Luft (der Satz kann in doppelter Beziehung gelten) verjagt haben.

Der Wiener, die Wienerin und der Ungar.

Drei psychologisch = charakterische Skizzen.

Videmus ibi multos homines ac mulieres capita non habentes.

Der heil. Kirchenvater Augustin.

I.

Der Wiener.

Die Oestreicher überhaupt stellen sich als kraftvolle Männer von starkem und dauerhaftem Körperbau dar, doch sind sie in der Regel eher groß, als klein zu nennen; die Züge des Gesichtes erscheinen nicht uninteressant, oft sogar geistvoll, und die rosichte Blüte der üppigsten Gesundheit schwebt auf der Jünglinge Wangen.

Nichts bestoweniger würde man ungemein irren, wollte man das lachende Bild auf die Wiener anwenden; das Geschlecht der Kaiser= stadt ließen Luxus, Weichlichkeit, Ueppigkeit und Ausschweifungen aller Art dermaßen aus= arten, daß man behaupten kann, schon im Keime sei es erstickt und verdorben.

Allerwärts treten uns hagere, gekrümmte Wesen mit fahlen, eingefallenen, nichtssagen= den Gesichtern und blöden Augen, achtzehn oder zwanzigjährige Greise mit großen Brillen auf den spitzen Nasen, entgegen, und erblicken wir in der Masse zuweilen einen blühenden Jüngling, so können wir ihn dreist für einen Fremden halten; in funfzig Fällen werden wir kaum einmal irren.

Zu Anfange des letzten Decenniums im vo= rigen Jahrhunderte, bald nach des z w e i t e n Leopolds Tode, erschien — angeblich in G ö r l i tz — ein Werk über W i e n aus der Feder eines norddeutschen Gelehrten, welcher längere Zeit dort verlebt hatte. Der Mann zeigte großen Scharfblick und sehr gesundes Urtheil; allein die östreichische Regierung er=

hielt von jenem Werke Wind, bevor es noch
in den deutschen Buchhandel gekommen war,
und der Auflage größter Theil wurde auf
Kosten des Kaisers konfiscirt; das Buch blieb
scharf verpönt, und der Verkauf desselben in
den kaiserlichen Staaten sogar bei Zuchthaus=
strafe verboten. Ueberhaupt war jenes Werk
allerwärts schwer zu erlangen, jetzt ist es
längst vergessen; mir verschaffte es die Artig=
keit eines vornehmen ***h** schen Kava=
liers, kurz vor meiner Abreise, auf einige
Tage zur Durchsicht. Wer aber beschreibt
mein Erstaunen, als ich in dem dreißig Jahr
alten Büchlein des Norddeutschen viele Grund=
behauptungen fand, welche mit den eigenen
psychologischen Notizen, die ich mir von den
Wienern in meiner Schreibtafel entworfen
hatte, haarklein übereinstimmten! Wie, rief ich
aus, wäre es möglich, daß die Bewohner der
Kaiserstadt in einem so langen Zeitraume, der
gerade in die schönste Epoche einer allgemein
europäischen Erleuchtung fällt, allein und
unbeweglich auf derselben Stufe der Kultur
stehen geblieben sein sollten? — und doch ver=

hält es sich im Allgemeinen so, die Sache
stellte sich mir gar zu klar und deutlich dar.

Mein alter, gelehrter, norddeutscher Ge=
währsmann ließ sich unter andern vernehmen:

„Man sollte glauben, daß ein unbe=
ständiges Klima ein leichtsinniges, leb=
haftes Menschengeschlecht bilden würde, das
flüchtig die Pole des Lebens berührte, und
über die Zukunft nicht nachdächte; indessen so
richtig dieses bei vielen Bewohnern Wiens
eintrifft, so zeigt sich bei ihnen doch beinahe
gar nie der rasche Entschluß und die kühne
Ausführung des Galliers, sondern es herrscht
eine Dumpfheit des Geistes, eine
Leere des Kopfes und ein Phlegma
überhaupt, das vom Gedanken zum Ent=
schluß, vom Entschluß zur That, mondenlange
Schneckenreisen macht. — Thätigkeit, An=
strengung der Organe, Enthusiasmus für Gro=
ßes, Wahres, Schönes, Streben nach Voll=
kommenheit liegen daher so ganz außer der
Sphäre des gewöhnlichen Wieners, daß er
davon nie eine Ahnung in seiner Seele gehabt

zu haben scheint, und es gar nicht begreifen
kann, daß es Menschen geben dürfte, welche
die geistigen den körperlichen Bedürf=
nissen vorziehen u. s. w."

Der Psychologe, der reife Beobachter wer=
den nach einem mehrmonatlichen Aufenthalte
zu Wien dieses summarische Urtheil unbe=
dingt als vollkommen richtig und unpar=
teiisch auch noch im Jahre 1822 unterzeich=
nen; dieses ist meine feste Ueberzeugung.

Zwar ist es wahr, in Wien leben Weise —
man wird deren auch in Aethiopien fin=
den — allein es ist nicht Scherz, sondern ein
erweislich richtig mathematischer Calcul, wenn
man auf zwanzig fein gebildete und gelehrte
Berliner oder Dresdner einen einzigen
Wiener zählt, und selbst dieser eine wird
in gewissen Situationen den Nationalkarakter
nicht zu verläugnen vermögen. Es begegnete
mir, daß ich mit Leuten von Ruf und aner=
kannten literarischen Verdiensten in der Kai=
serstadt in Gasthöfe ging, um ein Mittag=
oder Abendbrot einzunehmen; doch der An=

blick des ellenlangen Speisezettels unterbrach
stets und plötzlich Gespräche über die interes-
santesten Materien; einem solchen Talismann
vermag selbst kein Wiener Aristoteles oder
Sokrat zu widerstehen, denn Essen ist und
bleibt Allen das Erste und Wichtigste. Schwei-
gend, langsam und gemächlich muß das große
Geschäft vollbracht werden, und o Himmel!
welche Portionen sind diese Leute im Stande
zu verschlingen, man traut ihren Magen ein
Loch zu, durch welches alles Verschlungene sogleich wieder unter den Tisch fällt; denn anders als durch ein Wunder vermochte ich es
mir nicht zu erklären, wenn ich diese Menschen eine Quantität vivres auf einen Sitz
consumiren sah, bei welcher der zur Mäßigkeit
Gewöhnte während acht Tage nicht hungern
würde.

Sinnlichkeit überhaupt bleibt die Axe, um
welche sich das Streben und Leben der vornehmen und gemeinen Wiener dreht, daher
die auffallende Erschlaffung aller geistigen
Kräfte! Jener alte, oben erwähnte Norddeutsche glaubte den Grund der auffallenden

Erscheinung in der katholischen Reli=
gion allein suchen zu müssen; darin irrte er
aber ungemein, denn die wahren und unver=
drehten Lehren dieses Kultus sind zu erhaben,
als daß sie den Menschen zur Schlemmerei
und zum Müßiggang aufmuntern könnten;
allein bei den Wienern fehlt es an der Er=
ziehung im Allgemeinen und zwar sehr
grob; dann scheint ihnen der Hang zum sinn=
lichen Genuß im eigentlichsten Sinne des Wor=
tes angeboren.

Man beobachte die Wiener nur mit sin=
niger Aufmerksamkeit einige Monden an Ort
und Stelle, und man wird aufhören zu stau=
nen, wenn man vernimmt, daß des erleuch=
teten zweiten Josephs hehren Planen
gerade in der Hauptstadt die meisten Hinder=
nisse in den Weg traten.

Der Wiener ist eigentlich das friedfer=
tigste Wesen unter der Sonne, er läßt sich
alles gefallen, nur seine Popanze und Fir=
lefanze, an die er von Jugend an gewöhnt,
darf man nicht antasten; was ich darunter
verstehe, wird man ohne Mühe begreifen.

In den meisten Weinländern macht man die Bemerkung, daß die Einwohner reizbar sind und besonders bei der kleinsten Unbill leicht auffahren; die Wiener dagegen zeigen in solchen Fällen ein dickes Fell, sie lassen sich nur zu leicht von groben unverschämten Leuten imponiren, und man muß es ihnen arg machen, bis sie nur zu einem leisen Murren gelangen. Zu meinem höchsten Erstaunen war ich in einem viel besuchten, sehr anständigen Gasthofe in der Leopoldstadt öfters Zeuge, wie ein naseweiser Breslauer Judenjunge, der einem seiner Glaubensgenossen zu W. als Correspondent diente, die rechtlichsten und ruhigsten Leute, ohne alle Veranlassung mit der höchsten Arroganz unaufhörlich verhöhnte. Mehrere der Gäste, welche Jahrelang schon das Haus besucht hatten, blieben plötzlich weg, um nicht länger die Zielscheibe der übermüthigen Laune jenes Israeliten abgeben zu dürfen, aber ein Wort des Impulses wagte Niemand zu sprechen. Eines Abends trieb der Jude seinen Unfug toller als je; da schwollen mir endlich die Adern, und ich rief

entrüstet aus: „Aber, meine Herren! soll uns
denn der Bursche stets ungestraft auf der Nase
tanzen? werfen wir ihn doch durch die Thür,
verdient hat er es längst." Alles wich erschrocken zurück, keine Sylbe brachten die Herren hervor, der Jude aber hielt es am Ende
für gut, sich zu skisiren. Ich theilte den Gästen unverholen meine Betrachtungen über
ihr Betragen mit, da ließ sich der verständigste
und gebildetste von ihnen vernehmen:

„Sie glauben gar nicht, mein Bester! wie
gefährlich und unrathsam es bleibt, hier mit
Juden anzubinden; Einer steht für Alle und
Alle für Einen, sie trotzen auf mächtigen
Schutz, und steuren zu einer eignen Kasse, die
sogleich geöffnet wird, wenn Einer aus ihrer
Mitte in einen Injurienprozeß verwickelt wird;
keine Summen werden geschont, alle Maschinen in Bewegung gesetzt, und beinahe stets
wird zu ihren Gunsten entschieden."

Auch dieses noch! seufzte ich; es wäre arg,
wenn der Mann Recht hätte, und glaubwür-
dig sind seine Aussagen allerdings.

Die Ignoranz der Vornehmen in
allen Zweigen des Wissens, selbst in Geschichte
und Geographie, behauptet eine nicht geringe
Potenz. Von dem jetzt noch lebenden Gra=
fen K h. erzählt man folgende Anekdote, die
in der That eine karakteristische gelten
kann:

K h. fragte in einer ungemein vornehmen
Gesellschaft einst einen Britten, ob man die
See passiren müsse, um nach Eng=
land zu reisen? Allerdings, erwiderte dieser
mit höchster Bewunderung, Albion ist eine
Insel! Aber man kann ja auch zu Lande hin,
behauptete der östreichische Grand, wenigstens
von einer Seite doch? — Eine Insel! bedenken
Sie doch, eine Insel! schrie der Lord dazwi=
schen. — Aber, fiel K h. ein, wenn man nicht
die Kosten scheut, und einen recht großen Um=
weg macht? — Aber ich sage Ihnen noch
einmal, rief der Britte ganz entrüstet aus,
indem er dem Grafen den Rücken zeigte, un=
ser Land ist eine Insel, eine Insel, in's drei
Teufels Namen. — eine Insel!

2.

Die Wienerin.

Pygmalion *) wollte das Ideal weib=
licher Schönheit versinnlichen, das Werk
war gelungen und eine Wienerin gebildet
worden. Nun flehte der Königssohn zur Ve=
nus: seiner reizenden Statüe sollte sie
Geist und Seele einhauchen; allein die Göttin
schüttelte den Kopf, der bestürzte Pygma=
lion ließ sein Machwerk zurück, und floh nach
Cypern, wo ihm ein zweiter ähnlicher Ver=
such mehr als der erste glückte, indem der
Göttin Laune dort sich ihm günstiger zeigte.

Wohl mag dieses Bild sich gewagt, aber
ich glaube nicht unpassend darstellen. Die
Schönheit der Weiber und Mädchen zu Wien
überrascht im ersten Augenblicke fürwahr un=
gemein, und sie behaupten in dieser Hinsicht
gegen ihre norddeutschen Schwestern einen ent=
schiedenen und bedeutenden Vorrang.

---

*) Pygmalion, Cilicis filius, qui ex ebore sibi
sculpsit uxorem pulcherrimam.

Ovid.

Der Wuchs jugendlicher Wiene=
rinnen ist in der Regel schlank und eben=
mäßig; er mahnt den sinnig beobachtenden
Künstler, auffallend genug, an jenen der Gra=
zien und Nymphen. Blaue Augen und gül=
dene Haare sieht man selten, denn die Ge=
sichtszüge der reizenden Damen unterscheiden
sich mehr durch einen griechischen, als durch ei=
nen orientalischen Typus; der siegende Blick des
dunkeln feurigen Auges, das üppige kastanien=
braune oder oft glänzend schwarze Haar, der
Karakter der Physiognomien überhaupt, erin=
nern an Lais und Aspasia, aber ach —
diese anmuthigen Gestalten, welche hier an
der majestätischen Donau Ufern wallen, sind
nur weiter nichts, als schöne Modelle; ihnen
fehlt wahrlich die Seele, und prüfen wir, nach
dem allmähligen Erlöschen des ersten mächtigen
sinnlichen Eindruckes, diese regelmäßigen Linea=
mente näher, so entgeht uns der Abdruck einer ge=
wissen Geistesstumpfheit, welcher auf ihnen ruht,
nicht länger, und diese Stumpfheit stellt sich uns
als mathematische Gewißheit dar, so wie die
Grazien zum Sprechen den Mund öffnen.

6

Eine lächerliche Lüge würde die Behaup=
tung erscheinen, daß unter den höchsten und
höhern Ständen nicht zuweilen sinnige und
fein gebildete Frauen und Fräuleins anzutref=
fen wären; allein diese Ausnahme von der Regel
zeigt sich ungemein selten, viel seltener noch,
als im Cyclus der Männerwelt.

Es vereinigt sich die harte, dißharmonische
lingua rustica bei dem Wiener schönen Ge=
schlechte im Allgemeinen mit dem auffallend=
sten Mangel der Grazie und jener so sehr
ansprechenden weiblichen Zartheit, dann mit der
grassesten Unwissenheit in den gewöhnlichsten
Gegenständen des Lebens, unser höchstes Mit=
leid zu erregen; wohl mögen diese anmuthigen
Gestalten die Sinne reizen, allein nie werden
sie einen reifen Geist anregen oder gefühlvolle
Herzen rühren.

Man kommt zu Wien in Versuchung, stets
Lack und einen Wappenstock bei sich zu füh=
ren, um sogleich rosichte Lippen versiegeln zu
können, wenn sie sich öffnen, Unsinn zu
schwatzen; zwar werden solche Purpurmünd=
lein häufig genug durch Küsse versiegelt;

allein solcher Zauber lähmt nur die Zunge
auf zu kurze Zeit. —

Die Zahl reizender Ignorantinnen heißt in
der Kaiserstadt — Legio, und häufig fallen
die Mühen der sorgfältigsten Erziehung auf
dürren, unfruchtbaren Sand.

Ich überraschte einst eine achtzehnjährige
Grazie, die einzige Tochter eines sehr vornehmen Mannes, bei einem Morgenbesuche am
Stickrahmen. Ich warf einen Blick auf die
Arbeit; es war ein Strickbeutel, in welchen
das Fräulein mit kunstgerechter Hand die
Worte: „Ihrer Freindin Bolline an ihrem
18ben Geburdsdage ihre Freindin Amalie,"
eingenäht hatte.

Die Künstlerin mochte die unangenehme
Ueberraschung, welche mich erfaßt hatte, dennoch auf meinen Zügen lesen; sie fragte etwas spitz: Nu, gfallts Ihnen nit? — Ich
erwiderte: „Mein gnädiges Fräulein! man
spricht und schreibt nicht: Bolline, sondern
Pauline.

„Ei was, rief die reizende Ignorantin, i bin
halt kane Gelehrte, und mag a kane sein;

Bolline oder Pauline, das ist Alles
eins."

Dieses Fräulein war von einer aus Genf
gebürtigen eigenen Gouvernante erzogen wor-
ben, und ein halbes Dutzend Maitres stellte sich
tagtäglich regelmäßig ein, die anmuthige Idio-
tin in allen erdenklichen Künsten zu unter-
richten.

In einem einzigen Fache, außer körper-
licher Schönheit, behauptet die Wienerin noch
vor allen Schwestern des großen deutschen
Vaterlandes einen bedeutenden und sehr in die
Augen springenden Vorzug, nämlich in der
Kunst, sich geschmackvoll zu kleiden und gut
anzuziehen; allein das fein geputzte Püppchen
versteht in der Regel auch nicht den kleinsten
Theil seines Flitterstaates selbst zu verfertigen,
und man wird daher schwerlich in einer großen Stadt verhältnißmäßig so viele prospe-
rirende Putzmacherinnen finden, als in Wien.

Mädchen freien, und Lotterie-
loose kaufen bleibt stets ein gleich miß-
liches Unternehmen, dieses ist ein abgedrosche-
ner aber nichts destoweniger treffender Ver-

gleich'; allein wie ich dennoch mein Glück lieber in einer soliden Klaſſenlotterie, als in
einem heillosen Zahlenlotto versuchen möchte,
zöge ich auch vor, eher meines Lebens Glück
einer Münchnerin, Dresdnerin oder
Berlinerin, als einer Wienerin an-
zuvertrauen.

3.
Der Ungar.

Commoda virtus est patriae sibi prima putare.
Lucretius.

Die Naturforscher theilen, wenn ich nicht
irre, die Schnepfen in mehr als 50 Gattungen
ein; am ſchärfſten unterscheiden sich diese
Vögel durch die ab- oder aufwärts gebogenen,
oder aber gerade laufenden — Schnäbel.

So oft ich Werke unserer modernen Gelehrten, welche im sogenannten Fache der
Länder-, Völker- und Menschenkunde
arbeiten, durchblättere, muß ich immer lachen
und unwillkürlich an die Schnepfen denken. Man findet hier die Menschen mit derſelben Sicherheit, wie dort die Vögel klaſſificirt,

es heißt: der Gallier ist fröhlich und leichtsin=
nig, der Britte melankolisch, der Spanier
träge und jähzornig, der Deutsche dem Trunke
ergeben u. s. w.; allein an Ort und Stelle
zeigen sich meistens nur ganz leise Andeutun=
gen von jenen mit solcher Sicherheit angege=
benen Merkmalen, weil unter kultivirten Völ=
kern eigentliche, scharf in sich abgeschlossene
Eigenthümlichkeiten gar nicht vorhanden sind,
und den Ungar karakterisirte jener Psycho=
loge daher meines Erachtens am treffend=
sten, welcher behauptete:

Der Ungar ist feurig wie der Italiener,
schnell entschlossen und kühn wie der Franzose;
stolz wie der Spanier, aber ehrlich und bieder
wie der Deutsche. Er ist voll Ehrgefühl, und
rächt sich für einen Schimpf rasch auf der
Stelle — und ich füge noch bei: es wohnt
ihm Energie bei, er ist für sein Vater=
land und seine Nation leidenschaft=
lich eingenommen, allein er haßt im
Herzen Oesterreich und kann es auch unmög=
lich lieben.

Es bilden die Ungarn den Kern des öst=

reichischen Heeres, sie sind zu Roß, wie zu
Fuße — die kraftvollsten, die zuverlässigsten,
die tapfersten und schönsten Soldaten desselben,
sie wären in neuern Zeiten stets ultima ratio
des oft so schwer bedrängten Gesammtstaates;
und wie sehen sie sich belohnt? —

Ganz falsch versteht Oesterreich, hinsichtlich
Ungarns, sein Staatsinteresse noch immer,
es bildet noch immer gegen dasselbe eine hart-
nackige Opposition, es verzehrt seine beste
Kraft und leiht nie seinen gerechten Beschwer-
den offene Ohren.

Immer noch muß Ungarns Privatin-
teresse jenem der übrigen Erblande nachstehen,
nie kann es mit diesen gleiche Rechte gewinnen, seine Produktenausfuhr *) wird durch drük-

---

*) Für Tabacksraucher glaubt man bei dieser
Gelegenheit eine nützliche Warnung beifügen zu
müssen. Der Gebrauch des ächten im Ungar-
lande selbst fabricirten Tabacks ist in Oestreich streng verboten, es wird aber mit demselben,
vorzüglich durch die Marqueure in den Kaffeehäusern, ein starker Schleichhandel getrieben; allein oft
überfallen befugte Visitatoren unversehens Pri-
vatwohnungen und durchsuchen dort Koffer,

kende Zölle auf eine empörende Weise ge=
hemmt — wann endlich werden diese Undank=
barkeit, dieser unrechtliche Druck aufhören? —

Recht wohl wissen die Ungarn, daß ihre
ursprüngliche Konstitution' für diese Zeiten
nicht mehr taugt, allein sie können zu deren
zweckmäßiger Umwandlung nicht einen klei=
nen Finger reichen, weil sie überzeugt sein
müssen, daß man ihnen sogleich die ganze
Rechte entreißen würde.

Nichts destoweniger ist Ungarn noch
weit von dem Ziele entfernt, wieder ein eige=
nes Volk, im rechten Sinne des Wortes zu
werden: Der Egoißmuß der Aristokratie über=
täubt dennoch die Vaterlandsliebe, noch wal=
tet dort die entehrende Leibeigenschaft,
vier oder fünf Familien besitzen beinahe mehr

Kasten und Schränke. Für ein von diesen autorisir=
ten Spürhunden aufgefundenes Päckchen Taback
muß man sechzehn Gulden klingende Münze; und
für Seidenzeuge u. dgl., welche des kaiserl. Stem=
pels ermangeln, eine ähnliche Strafe zahlen. Selbst
an unbekannten, öffentlichen Plätzen ungarischen
Taback, den man selbst bei sich führt, zu schmau=
chen, bleibt nicht rathsam.

Vermögen und Grundeigenthum, als die an=
dere Hälfte des Königreiches; diesseits aber
weiß man, klug genug, der Eitelkeit des ju=
gendlichen hohen Adels zu schmeicheln, und
bei dem Prunke des Hofes unter der Last
jener mit Silber und Demanten bedeckten
Scharlachuniformen werden Druck und Schmach
des schönen aber armen Vaterlandes vergessen;
das Erstehen eines zweiten Corvinus thäte
hoch Noth! —

Um die Ungarn kennen zu lernen, braucht
man nicht in ihr Land zu reisen, man trifft
deren aus allen Klassen zu Wien in Hülle
und Fülle, und der unparteiische und gebildete
Fremde wird sie bald genug liebgewinnen.
Der dem ausgezeichnetern Stande zugehö=
rende Ungar entwickelt ungemein viel Wißbe=
gierde; fremde Sprachen lernt er mit Leichtig=
keit, er folgt gern seinen eigenen Ansichten,
achtet Künste und Wissenschaften hoch, liest
und studirt alte und neue Schriften des Aus=
landes und die schwer verpönten am liebsten.

Durch nichts erschienen mir die Wiener so
kleinlich, als durch ihr dummstolzes Hernie=

berſchauen auf die Ungarn, und durch ihre
Manie, dieſe allerwärts lächerlich zu machen.
Und wahrhaftig! — der edle Ungar bewahrt
in der Regel in der kleinen Fingerſpitze mehr
Kraftgefühl, Witz und Kenntniſſe, als oft ein
ganzes Dutzend blödſinnige durch Maſchanz=
terköche (ſogenannte Poularblen) und ge=
bratne Hänel gemäſtete Wiener zu=
ſammen!

Oeſtreichiſch=ungariſche und unga=
riſch=öſtreichiſche Anekdoten.

Die Oeſtreicher können die Ungarn
und dieſe jene nicht leiden; die Wiener wiſ=
ſen Hunderte von ſogenannten ungariſchen
Anekdoten zu erzählen, welche alle nichts
anderes bezwecken, als die Nation als höchſt
bornirt darzuſtellen, und die Ungarn ihrer=
ſeits ſuchen ſich ebenfalls durch Inventionen zu
revangiren, nur mit dem Unterſchiede, daß
der ungariſchen Erfindung beißender und tref=

fender Witz beiwohnt, indeß östreichische Dichtungen dieser Art beinahe immer, unwahrschein-
lich, plump und ungesalzen ausfallen. Man
wird hiermit die Behauptung durch etliche
Beispiele unterstützen.

Oestreichische Invention.

In der Wiener Zeitung werden die abge-
reisten Fremden angezeigt und pr. Parenthesin
et Claud. ihre verlassenen Wohnungen bemerkt.
Ein ungarischer Edelmann, der so eben in der
Kaiserstadt eingetroffen war, nahm im Gasthofe die Zeitung zur Hand und las: Abgereist:
Herr N. N. (Stephansth. Hr. X.)

Gleich rief der Ungar seinem Kutscher zu:
„Hanns! spann ein, wir fahren sogleich wieder nach Hause, bin ich doch extra hierher gekommen, den berühmten Stephansthurm
zu sehen, und nun ist der Kerl gerade ver-
reist.“

Eine wandernde Schauspielertruppe gab in
einer ungarischen Provinzialstadt Mozarts
Zauberflöte; das Erscheinen des Mondes
mißglückte und wurde ausgepfiffen. Nach ei-

nigen Tagen wurde das Stück wiederholt,
und nun zeigte sich der Mond mit einem gro=
ßen Schnurrbarte (der bekannten ungari=
schen Nationalzierde) ausstaffirt; wüthend ap=
plaudirte das Publikum, und Alle riefen:
„Bravo, bravo! das ist n' ächter ungarischer
Mond!"

Ein Landpfarrer in Ungarn predigte gegen
den Ehebruch und handelte in dem ersten
Theile seiner Rede von der Ehe, in dem
zweiten aber über den Bruch.

Diesem saubern Kleeblatte gleichen alle
unzählige Anekdoten, welche in Wien, die
ungarische Nation herabzusetzen, aller=
wärts erzählt werden.

Ungarische Invention.

Ein in Wien sich aufhaltender un=
garischer Edelmann sagte: Die Oestrei=
cher sprechen uns Verstand und Bildung ab,
aber woher sollten wir auch beides erhal=
ten? — Von einer Seite grenzen wir an
die rüden Osmanen, von der andern

aber an die noch dalketeren *) Oeſt=
reicher.

Ein anderer vornehmer Ungar er=
zählte mir mit einem unbeſchreiblichen ſarka=
ſtiſchem Lächeln Folgendes: „Bei einem hier in
Wien ſich befindenden landesherrlichen Büreau
iſt ein armer Taubſtummer als Bote
angeſtellt. Wenn der Sekretär des Büreaus
nun Schreiben oder Aktenſtücke andern Be=
hörden mitzutheilen hat, ſo explicirt er ſich gegen
den Taubſtummen durch Pantomimen. Soll
der Bote die Akten in die ungariſche
Kanzlei tragen, ſo ahmt der Vorgeſetzte mit
der rechten Hand die Art nach, wie meine
Landsleute den Schnurrbart zu ſtreichen pfle=
gen; die geballte Fauſt hinter das
Ohr gelegt bezeichnet die Tücke des
Böhmen, allein dem Boten begreiflich zu
machen, daß er einen Pack in ein öſtrei=
chiſches Landeskollegium zu tragen
habe, deutet der Sekretär vorerſt

---

*) Dalket bedeutet in Wiens lingua rustica —
einfältig; ein Dalket iſt ein Pinſel.

auf die Stirn, dann winkt er ver=
neinend mit der Hand, als wenn von
einem nicht vorhandenen Dinge, vom Ver=
stande nämlich, die Rede wäre.

Polizeiwesen.

Sine ira, aber keinesweges sine studio
beginne ich hiermit freimüthig und wahr
von einem Gegenstande zu schreiben, über
welchen sämmtliche unzählige Schriftsteller, die
Wien in neuern Zeiten würdigten, stets leicht
wegzuschlüpfen für gut fanden. Der wackere
Alxinger ließ sich einst vernehmen:

„— — Alles, was geschieht,
Geschieht nach weisem Plan und ewigen Gesetzen,
Wenn euer schwacher Blick auch nicht das Trieb=
rad sieht."

Ganz richtig! allein im Triebrade ge=
rade sitzt der Teufel, und wenn sogar Jeder=
mann nicht nur dessen Mechanism, sondern
selbst jenen der unzähligen kleinen

Räder und Spindeln zu durchschauen vermag, dann stellt sich der Plan des Baumeisters weder weise noch fein dar, und gerade der letztere Fall scheint mir auf Wiens Polizeiwesen anwendbar. Der Herr Dr. Greiner zu Eisenberg lieferte folgende meines Erachtens ungemein richtige Ansichten:

„Die sogenannte hohe Polizei ist eine Geburt des Despotismus, die jedoch als ein nothwendiges Uebel so lange wird beibehalten werden müssen, als der convulsivische Zustand fortdauern wird, in welchem Europa bisher sich befunden, weil sie zu einer der furchtbarsten Gegenwaffen gehört." —

Zur Kompetenz der hohen Polizei gehören allerdings und unwidersprechbar: Controlle der Reisenden im Lande, Ausmittelung jeglicher Kundschafter, Beobachtung der politischen Stimmung, genaue Aufsicht über Gasthöfe, Censur der Zeitschriften, Flugblätter zc.

Europa's gegenwärtiger Zustand in diesem Augenblicke ist im Allgemeinen nicht jener der Ruhe, darum muß der Gebrauch

der furchtbarſten Gegenwaffen je=
dem gut organiſirten Staate nicht verſtattet,
nein, er muß leider! ſogar anempfohlen wer=
den; allein Erfahrung und Verſtand geben
ſcharfe und geheime Waffen nicht in
die Hände der Kinder, der Dummheit, der
Leidenſchaftlichkeit, am allerwenigſten aber in
jene der Bosheit und des Schurken.

Nach meiner feſten Ueberzeugung kann eine
hohe Polizei, in dem oben ausgeſproche=
nen Sinne, nützlich wirken und ihrem Zwecke
vollkommen entſprechen, ohne ſich der Hülfe
geheimer Auflaurer zu bedienen. Die wie=
ner Polizei bezahlt bekanntlich nahmhafte
Summen an das Heer ihrer Naderer, und
aus welchen Subjekten beſteht in der Regel
dieſe furchtbare, einzig und allein ſanktionirte
geheime aber keinesweges reſpektabele Geſell=
ſchaft? — —,

Es iſt leider! ein ziemlich allgemeiner,
aber nichts deſtoweniger falſcher Grundſatz, zu
gewiſſen polizeilichen Funktionen Leute zu ver=
wenden, welche, wie man zu ſprechen pflegt,
mit allen Hunden gehetzt, Leute ſogar, die

als der Auswurf der menschlichen Gesellschaft
betrachtet werden können, die als Schuldige
einer bedeutendern Art bereits schon Straf-
und Zuchthäuser durchwandelt haben; denn
man spricht: Wer selbst hinterm Ofen saß,
weiß den dort Verborgenen am ehesten zu finden. Charmant! — aber wer dreißig
Jahre lang ein Schuft war, wird
es höchst wahrscheinlich stets bleiben!

A posteriori läßt sich die Wahrheit meines Satzes erweisen. Der Wiener Raderer stellt
sich als gefährlicher Proteus dar; er bringt
sich allerwärts ein, reizt mit Kunstsinn Fremde
und Einheimische zu freisinnigen Aeußerungen,
um sie denunziren zu können; nicht Freundschaft, nicht Bande des Blutes bleiben diesem
Elenden heilig; ganz ihrer Bestimmung zuwider, lassen sie den Inländer, vorzüglich subalterne Beamten, gern ahnen, wer sie sind,
häufig fordern sie dann Anlehen, welche sie
nie wieder zu erstatten gedenken, und wird
das Ansinnen abgelehnt, so kann der Angespro-
chene darauf rechnen, daß sein Name in's
schwarze Buch verzeichnet wird, und wehe

7

dann ihm! — er sieht in der Folge sich alle
Wege versperrt, allerwärts werden ihm Riegel
vorgeschoben, indeß der Befangene oft nicht
einmal die Ursache seines Mißgeschickes zu
durchschauen vermag.

Ein subalterner Staatsbeamter, der in den
östreichischen Staaten vorwärts zu kommen
gedenkt, darf nie das Zutrauen der hohen
Polizei verlieren, denn diese bleibt gehei-
mes Organ aller Behörden.

Ich weiß es, dieses mein Büchlein wird
in Oestreich konfiscirt, nichts bestoweniger
aber von höhern Polizeibeamten und einigen
wenigen Weisen gelesen werden, und als Eh-
renmänner mögen die Herren erklären, ob ich
Wahrheit oder Verläumbung hier
ausgesprochen habe.

Die Begriffe: Naderer und rechtlicher Mann sind dermaßen — hetero-
gen, daß Euch jeder unbefangene Wiener
selbst in's Gesicht lachen würde, wenn Ihr dieselben je auch im Scherze mit einander verbinden wolltet.

Die öffentlichen Unter-Beam-

ten der hohen Polizei zwar sind in der Re=
gel ehrliche und unbestechliche Männer, allein
einen anderweitigen großen Uebelstand stel=
len auch diese häufig dar. Einigen von ih=
nen wohnen falsche Begriffe von Amtsehre,
dummer Stolz, Willkür und Insolenz bei.
Dem ruhigen, verständigen Worte leihen die
Leutchen gar kein Ohr, bei ihnen gilt, das:
Nicht raisonnirt! des Militärs, und wie
man sie recht zu packen gedenkt, verschanzen
sie sich hinter höhere Autorität. Der Name
des Kaisers selbst wird die Aegide ihrer
Grobheit, der Name jenes menschenfreund=
lichen, gutmüthigen Fürsten, dessen Wille kein
Kind in seinen unermeßlichen Staaten zu
kränken gebietet.

Wird das geheiligte Geheimniß der Posten
durch eine hohe Polizei gefährdet, so kann ein
solches Unternehmen nie vertheidigt, nur in
gewissen höchst dringenden und wichtigen
Fällen — entschuldigt werden, doch ohne
solche Fälle abzuwarten, bleibt die Procedur
keineswegs aus; eine solche kühne Behaup=
tung aber erheischt nähere Beweise.

7 *

Die meisten Briefe, welche ich selbst in den östreichischen Staaten vom Auslande erhielt, waren von der Post eröffnet worden; man bedient sich dabei eines eigenthümlichen künstlichen Mittels. Ein sehr feiner Ton dient dazu, die Formen des Wappens in concaven Einschnitten aufzunehmen, nun wird das eigentliche Siegel mit einem scharfen Messerchen vorsichtig abgelöst und der Brief, nachdem er gelesen, mit frischem Lacke wieder versiegelt, wobei der inzwischen hartgewordene Ton die Stelle des Originalwappenstockes, auf eine in der That ungemein täuschende Art, vertritt.

Nachdem ich durch Zufall, aber mit höchster Gewißheit, zur Kenntniß dieser Procedur gelangt war, vermochte ich die eröffneten von den uneröffneten Briefen genau zu unterscheiden, und, lediglich zu meinem Spaße, verabredete ich mit einem guten Freunde im Auslande, er möge mir mit jedem Posttage, einen vorsichtig eingesiegelten ganz l e e r e n h o l l ä n d i s c h e n Briefbogen nach W. senden. Die zwei ersten n i c h t s s a g e n d e n Depeschen langten unversehrt an; allein das

Couvert der dritten war auf oben angegebene
Art eröffnet, und das arme unschuldige durch=
aus weiße Blatt — ich bewahre es heutigen
Tages noch auf — war an einigen Stellen
durchstochen, und trug sichtbare Spuren des
Kohlendampfes und eines Bades an sich,
durch welches man wahrscheinlich die Züge
einer muthmaßlich mit einer gewissen chemi=
schen Dinte geschriebenen Briefes zu entziffern
hoffte. Ich lachte recht herzlich; wie aber mö=
gen die geheimen Brieferöffner des fruchtlo=
sen Mühens halber sich geärgert häben!

Ein pensionirter Offizier, welcher vor kur=
zem noch in Wien lebte *), schrieb an einen
Freund nach Lemberg in Ostgallizien,
und entwickelte in seinem Briefe gewisse poli=
tische Ansichten, welche das Benehmen der
hohen Pforte betrafen, — Muthmaßungen,
fromme Wünsche u. dgl. weiter nichts. Nach
Verlauf einiger Wochen wird der Mann zum

---

*) Wäre nur die Möglichkeit denkbar, daß diese No=
tiz dem ungenannten Manne jetzt noch Schaden
bringen könnte, ich würde sicher verschmäht haben,
sie hier aufzunehmen.

Grafen S. gerufen, der ihm seinen nach Lem=
berg gesendeten Brief, mit einer scharfen
Warnung zurück gab, sich Aehnliches in Zu=
kunft nie zu erlauben.

Von der östreichischen Censur der Bücher,
namentlich solcher, welche vom Auslande herein=
kommen, nahm ich bereits im Bocksprunge
Gelegenheit zu reden; ich fand diese Censur,
gegen mein Erwarten, in der Hauptstadt stren=
ger, als in den Provenzialstädten. Sonnen=
fels, der trotz seiner schätzbaren Kenntnisse
doch nur ein Finsterling war, stellt in seinen
Grundsätzen der Polizei=Handlungs= und
Finanzwissenschaft folgende Ansichten aub.
§. 117 auf:

„Die Bestimmung einer Bücher = Censur
ist, die Verbreitung irriger, ärgerlicher und ge=
fährlicher Meinungen zu verhindern, und aus
ihrer Bestimmung folgt, daß ihre Gerichts=
barkeit sich auf alles erstrecken müsse, wodurch
irrige, ärgerliche und gefährliche Meinungen
verbreitet, oder sonst den Sitten nachtheilige
Begierden erweckt werden können, sie erstreckt

sich daher nicht nur auf Bücher, sondern auch
auf Schauspiele, Lehrsätze, Zeitungen, alle öf=
fentliche an das Volk gerichtete Reden und
Kupferstiche, und was immer noch sonst eine
Art von Oeffentlichkeit an sich hat."

Das k. k. Bücher=Censur=Amt zu Wien
handelt streng genug nach den Sonnen=
fels'schen Ansichten; möchte es darum
sein! — allein dieser Behörde wohnt eine
ganz eigene Gewandtheit bei, die unschuldig=
sten und unbefangensten Ansichten, irrig,
ärgerlich und gefährlich zu finden,
was zur Folge hat, daß von zehn fremden
neuen Werken oft kaum zweien der öffentliche
Verkauf gestattet, und die übrigen alle remit=
tirt werden müssen. Zwar können gewisse pri=
vilegirte Personen von der k. k. obersten Cen=
sur = Behörde auf schriftliches Ansuchen und
Revers, verbotene Schriften nicht verbreiten
zu wollen, dieselben erhalten; allein aus Furcht,
sich als Freigeist und Demagoge verdächtig zu
machen, wird diese Begünstigung nur äußerst
selten benutzt; durch das ganze ängstliche Ver=
fahren aber die Verbreitung nützlicher Kennt=

nisse überhaupt, ebenso dann der deutsche Buch=
handel im Allgemeinen gefährdet.

Noch bleibt mir übrig, von der Controlle
der Fremden zu sprechen.

Der Oberdirektor der Polizei, Hofrath B.
v. Siber ist ein sehr würdiger, geschickter,
rechtlicher und höflicher Mann; allein bejahrt
und kränklich: senectus ipse morbus est! —

Der anständige Fremde wird wegen der
Dauer seines Aufenthaltes u. dgl. gewöhnlich
an einen sogenannten Obercommissär, Namens
S*cc**b, gewiesen, der Jedermann mit ei=
ner frostigen Amtsmiene und dem Stolze ei=
nes ehemaligen spanischen Großinquisitors em=
pfängt. Mit den legalsten Reisepässen, Em=
pfehlungsbriefen an die vornehmsten und acht=
barsten Männer der Hauptstadt, Wechseln,
Zeugnissen u. s. w. langt man vor dem Prü=
fungsstuhle dieses Menschen nicht aus, er wit=
tert in jedem Fremden von bekanntem Namen
einen geheimen Spion und Carbonari, und
man sieht sich, gleich einem überwiesenen Spitz=
buben, von dem Manne mit der grenzenlose=
sten Unverschämtheit inquirirt.

Wie denn allerwärts besser mit einem Für=
sten, als dessen Schreiberjungen oder Kam=
merdiener umzugehen; so auch hier, und man
ertheilt jedem anständigen Fremden hiermit den
wohlmeinenden Rath, wenn ihn die Insolenzen
des Herrn S * cc * * d empören, sich ohne wei=
teres seiner Angelegenheiten halber schriftlich
an den liberalen und wackern Minister Gra=
fen Sedlniczki zu wenden.

Uebrigens werden Fremde, die sich durch
Herausgabe freisinniger Schriften bekannt ge=
macht haben, bei der Wiener Polizei stets einen
harten Stand haben, denn man hat sich ein=
mal in Oestreich daran gewöhnt, solche Män=
ner für gefährlich, oder wenigstens über=
flüssig zu halten; nur der Bauern, Kauf=
leute, Bürger und Pfaffen glaubt man
zu bedürfen, und ich selbst wähne einen unge=
fährdeten längern Aufenthalt in jener Kaiser=
stadt nur einem sehr gewichtigen Empfehlungs=
schreiben verdanken zu dürfen.

Man braucht nicht die Schriften der Ben=
sen, Sonnenfels, Henrici, Lotz, Ja=
cob, Justi und vieler anderer Gelehrten,

welche mit Geist in dem Fache gearbeitet, studirt zu haben, nur dem Urtheile des gesunden
Menschenverstandes vertraue man, um zu der
Ueberzeugung zu gelangen, daß die Wiener
sogenannte h o h e P o l i z e i bedeutender Ver-
besserungen bedarf, wenn sie ihren eigentlichen
Zwecken entsprechen soll.

Allein außer der h o h e n giebt es auch noch
eine andere, die man im Gegensatze zu der
vorigen die n i e d r i g e Polizei nennen möchte.
Straßenpflaster und Säuberung, Beleuchtung,
Aufsicht über Zwangsarbeits - und Besserungs-
häuser, Fiackers u. dgl. können füglich zur
Kompetenz der n i e d r i g e n P o l i z e i gezählt
werden, welche in Wien so vortrefflich organi-
sirt ist, daß sie in der That als ein Muster
dargestellt zu werden verdient; nur die Aufsicht
über die Freudendirnen ist höchst mangelhaft,
doch darüber wird man in einem eigenen Artikel handeln.

Schnepfenstrich.

Nun will ich singen, was die Kraft
 Allmächtig überwindet,
Bis Geist, und Trieb, und Lebenssaft
 Mit Fleisch, und Mark verschwindet,
Dann, wie von der Tarantel Stich
Das inficirte Leben sich
 Im Tanz mit H***n siechet.

Der wienersche Virgil.

*   *   *

Kaum hast du Wien betreten, guter Fremb-
ling! so hörst du an öffentlichen Orten und
allerwärts gar viel vom Schnepfenstriche
verhandeln; er bleibt ebenfalls ein Haupt= und
Lieblingsdiskurs der Kaiserstädter, weil
man kein Beispiel kennt, deßhalb von den so=
genannten Naderern der hohen Polizei
denunzirt worden zu sein.

Bist du nicht auf den Kopf gefallen, mein
Freund! so wird dir bald genug klar werden,

welche Bewandtniß mit dem Schnepfen=
striche es eigentlich habe; die Jagdlusti=
gen verlassen größtentheils nie die Stadt, es
ist kein scheues Federwildpret, welches sie ver=
folgen, diese Schnepfen fliehen nicht vor
dem Jäger, sie stehen vielmehr seinem Rufe
und sogar seinem Winke; sie werden nicht
gerupft, nein sie rupfen sogar selber —
und der langen Rede kurzer Sinn überhaupt
ist die H***njagd, auf welche hier tag=
täglich Fürsten und Grafen, Lyoner Ritter,
Schneider=, Schustergesellen und Hausknechte
im traulichstem Vereine ziehen.

Als das ergiebigste Revier stellen sich der
Graben und Kohlmarkt dar, doch giebt
es noch eine Menge untergeordneter Reviere
in und außerhalb der Stadt.

Vornehme Hetären, welche im Be=
wußtsein, ihr ein Schnippchen schlagen zu dür=
fen, den Henker nach der hohen Polizei fra=
gen, erscheinen schon gegen Mittag, an pracht=
vollem und kostbarem Putze mit Damen des
ersten Adels wetteifernd, bei den täglichen gro=
ßen Schauparaden auf dem Graben und Kohl=

markte, doch kann dieſer noch ein decenter Schne=
pfenſtrich genannt werden, weil die Jäger
mit dem Wilde nur freche Blicke, höchſtens
halblaute Worte ſcherzweiſe im Vorübergehen
wechſeln, und wenn es hoch kommt, endet
ein momentanes, doch verſteht ſich am Rande,
ganz ehrbares Rendezvous im Tempel
des heil. Michaels am Ende des Kohl=
marktes, unfern der kaiſerl. Burg, die
kleine Intrigue.

Entre chien et loup macht ſich der ga=
lante Verkehr in dieſen Gegenden ſchon leb=
hafter; die Luſtnymphen der erſten Gattung
finden ſich nun auf dem Platze ein, ausge=
zeichnet reizende und jugendliche Geſtalten in
der Regel, die ihr Gewerbe mit ziemlichem
Anſtande treiben, und bald genug den Schwe=
ſtern des zweiten Ranges das Terrain räu=
men, deren Orden theils aus paſſirten, ver=
ſchmitzten Schönen, theils unter deren Anfüh=
rung, aus angehenden halb ſchüchternen Prie=
ſterinnen beſtehen; der aimable roué nennt
dieſen zweiten Schnepfenſtrich den pikanteſten.

Mit eintretender Nacht erfüllt der verwor=

fenste Auswurf der Hetären die Straßen, doch
mischen sich unter die Jäger, welche diesem ver=
rufenen Wilde nachstreichen, häufig Herren,
denen man., wenigstens ihrem Stande nach
zu urtheilen, in der That einen bessern Ge=
schmack zutrauen sollte.

: Von der ungeheuren Zahl der in Wien
lebenden Freudenmädchen kann man sich, hat
man das Unwesen nicht an Ort und Stelle
zu beobachten Gelegenheit gehabt, schwerlich
einen Begriff machen; sie steht zu der Ge=
sammtbevölkerung der Kaiserstadt in gar kei=
nem Verhältnisse, doch jene Zahl nur einiger=
maßen mit Bestimmtheit anzugeben vermag man
um so weniger, da dieses selbst; und zwar
zuverlässig, die hohe Polizei nicht im Stande
ist. Ueberhaupt kann man das Benehmen
dieser anderwärts sehr preislichen Behörde,
hinsichtlich dieser Verhältnisse, nichts weniger
als rühmen. Bekanntlich werden auch in
Wien eigentliche Freudenhäuser nicht gedul=
det; der Legion der Dilettantinnen dagegen
das Handwerk zu legen, dürfte in einer sol=
chen Stadt, wo Epikur seit Jahrhunderten

sein Reich hat, unter die Unmöglichkeiten ge=
hören; indeß bleibt das größte Unglück nur,
daß jene Dilettantinnen nicht nur sehr man=
gelhaft, sondern im höchsten Grade will=
kürlich selbst kontrollirt werden. Weiß eine
Hetäre ihren Bezirks = Polizei = Offizianten
zu gewinnen, und ein Hexenstück soll, die=
sen Zweck zu erreichen, nicht erforderlich sein,
so drohen ihr so schnell keine Gefahren gewisser
Art; wird aber ein galantes Nanerl oder
Beberl einmal verhaftet, und hat das Mäd=
chen einen Bekannten von ganzer, oder halber,
oder auch nur geringer Celebrität, so geht der
gute Mann zur Polizei und spricht: „Aber
warum habt Ihr mir denn's Nanerl arretirt,
sie ist 'n rechtschaffnes Mädel, nichtsweniger
als eine Hure, sondern nur meine Nähterin
und Wäscherin," worauf das unschuldige Na=
nerl gleich auf freien Fuß gesetzt wird.

Steigt das allgemeine Unwesen zur höch=
sten Potenz, so ergreift die Polizei wohl auf ein=
mal die nächsten, besten paar hundert H***n,
die ihr gerade unter die Hände kommen, dann
werden die kranken Mädchen ins Hospital be=

fördert, die gesunden geborenen Wie=
nerinnen nach einigen Tagen der Haft entlaf=
fen, und auswärtige Dilettantinnen auf dem foge=
nannten Schube aus der Hauptstadt entfernt.
Allein die transportirten Schönen treffen, nach
gemachter Luftveränderung und Verlauf weni=
ger Wochen, alle wieder wohlbehalten in Wien
ein, und bringen auch wohl gar frische Rekru=
ten mit, die nun alle freiwillige Dienste
nehmen, wodurch das Heer der Venusbulgi=
vaga, nach einer solchen Procedur, bald ge=
nug ansehnlich verstärkt sich darstellt.

Leicht kann man ermessen, welche Zer=
störungen auf diese Weise syphilitische
Krankheiten in der Hauptstadt anrichten
müssen; jeder Jüngling von Ton kann sich
rühmen, drei bis viermal wenigstens die foge=
nannte große Kur ausgestanden zu haben;
doch diese gehört nicht ins Departement der
humanen Polizeibehörde, die wohl beherziget,
daß Charletane und Apotheker doch auch ums
tägliche Brot den lieben Herregott bitten.

Ein Minister schlug dem zweiten Jo=
feph einst vor, lieber die Einrichtung privi=

legirter Bordelle zu gestatten, doch lächelnd
erwiderte der Kaiser: „Spannen Sie ein gro=
ßes Tuch über Wien und seine Vorstadt, dann
haben Sie, gleich ohne Mühe — ein pri=
vilegirtes H***nhaus!" Und wahr=
lich, Joseph hatte Recht.

Die Ritter von der blauen Erde.

Sie treiben, unfern der östreichischen Kaiser=
stadt, im neunzehnten Jahrhundert ihr Wesen,
allein dieses ist keinesweges so dräuend und
furchtbar gestaltet, als jenes der berühmten
Ritter von der rothen Erde (der soge=
nannten heiligen Vehme) in Westphalen im
vierzehnten und funfzehnten Jahrhundert sich
darstellte.

Etliche Meilen von Wien befindet sich ein
Schloß, Sebenstein genannt, dessen gei=
stesbeschränkter Eigenthümer, um die ihm er=
staunlich lange Zeit zu tödten, auf den gerade
nicht glücklichen Einfall gerieth, im Sinne des

8

Mittelalters — zu tändeln und zu spielen. Ein
Narr macht zehn und noch mehrere; der Sebensteiner fand Freunde genug, die sich bereit zeigten, an der Komödie thätigen Antheil
zu nehmen, und ein höchst bedeutender
Bund, weder mit jenem der Illumina-
ten noch der freien Maurer vergleichbar,
kam zu Stande.

Die Herren nannten sich, der Himmel mag
wissen, warum? Ritter von der blauen
Erde *), gaben sich untereinander allerlei an
die erhabene Zeit des Faustrechts erinnernde
Namen, als z. B. Theodor der Ochse,
Fritz das Mondkalb f. w., und im

---

*) Die Benennung ist nicht ohne Umsicht gewählt,
denn man erschaut auf jener Erde überhaupt
des Unsinnes und der Dummheiten so viele, daß
einem darüber allerdings blau vor den Augen
werden möchte.

Das Morgenblatt berührte neulich, bei Gelegenheit einer Rezension des blöden Ritters, die
Veranlassung, welche jene Parodie in's Leben rief,
leise und zwar ungemein leise; nun es müssen die
Feder eines Wiener Korrespondenten allerdings
Rücksichten leiten, die dieses Buches Verfasser
nicht kennt.

treuen Koſtüme des Mittelalters verſammelte
ſich dieſe reſpektabele Geſellſchaft nun an ge=
wiſſen Tagen auf der Burg Sebenſtein.
Des Burgherrn Kornſchreiber übernahm die
Rollen des Burgvogts, die Ochſenknechte aber
ſtellten Thurmwächter, Kreiswärtel und Rei=
ſige vor. Nachdem allerlei Lappalien vorge=
nommen waren, ſetzten ſich die modernen Rit=
ter in dem mit Symbolen dekorirten Saal
an den runden Tiſch um die Humpen und
ſoffen, in allen Stücken dem Geiſte des Mit=
telalters treu, ſo lange, bis ſie, ihrer ſtumpfen
Sinne nicht mehr mächtig, von den Stühlen
ſanken.

Wenn zehnjährige Knaben ſonſt alſo tän=
delten, fiel es nicht auf; nun, das Spiel der
großen Kinder befremdete gerade auch nicht,
denn man wurde in neuern Zeiten in Deutſch=
land ziemlich daran gewöhnt, **Männer ſpie=
len** *) und **Knaben handeln zu ſehen.**

***

*) Daß der in Rede ſtehende Bund im ſtrengſten
  Sinne des Wortes nichts weiter als **Spielerei**
  iſt, und durchaus nie einen **männerwerthen**

8 *

Größere Sensation bewirkte, als endlich
gar der E—g, I— unter dem Namen:
Hanns v. De. sich in den Bund der Ritter
von der blauen Erde aufnehmen ließ. Man
erlaubt sich über die letztere erwiesene That=
sache durchaus kein vorschnelles Urtheil. Viel=
leicht that der P. den Schritt nur in der Ab=
sicht, Gelegenheit zu finden, jene Narrheiten
in der Nähe beschauen zu können, und eine
solche Neugierde bliebe sehr verzeihlich.

Man hörte längst auf, dem mittelalter=
thümlichen Sebensteiner Trinkbunde Auf=
merksamkeit zu schenken, da brachte der be=
kannte derbwitzige Theaterdichter Hr. Adolf
Bäurle, gerade während meiner Anwesen=
heit zu Wien, sein neuestes musikalisch=dra=

Zweck in's Auge faßte — davon wird Jeder leicht
überzeugt sein, der die unerbittliche Strenge kennt,
mit welcher die östreichische Regierung selbst den
Schein geheimer Zusammenkünfte verfolgt. Selbst
nicht Naturforscher dürfen sich versammeln,
um sich über die erlesene Wissenschaft zu berathen
und zu unterhalten; allein Narren erfreuen sich stets
größerer Begünstigungen als — Gelehrte.

matisches Quodlibet, betitelt: der blöde
Ritter, auf die Bühne der Leopoldstadt.

Dieser blöde Ritter stellt sich eigent=
lich als eine Parodie der bekannten Oper:
Sargines dar, allein in der That werden
durch sie die Ritter von der blauen
Erde auf eine derbwitzige Weise höchst glück=
lich persiflirt *).

Der große Haufen des Wiener Publikums
ist dermaßen — vernagelt, daß man ihn
gleichsam mit der Nase auf eine Sache stoßen
muß, wenn er deren Beziehung ahnen soll;
erst nach der dritten Vorstellung des blöden
Ritters begriff man seine Tendenz all=
gemein. Der Parodie wohnt übrigens vis
comica im eigenthümlichen Lokalgeschmacke bei,
und da ihr eine neue Garderobe, neue Deko=
rationen und ein Waffentanz von der Erfin=
dung des Herrn Rainoldi zu Hülfe ka=

---

*) Der besonnene Bäurle, der sein Terrain recht
genau kennt, dürfte ein solches Wagniß kaum un=
ternommen haben, wenn ihn nicht ein höherer Im=
puls kühn gemacht hätte.

uien, so machte sie ausgezeichnetes Glück; das
Stück wurde noch während meiner Anwesen=
heit in der Kaiserstadt vierzehn Abende
hintereinander gegeben.

Bäder.

In balneis salus *)!

Der gebildete, Reinlichkeit liebende Fremde
fühlt deren Bedürfniß hier gewiß lebhafter,
als an irgend einem andern Orte; man ver=
wahre sich so sorgfältig als möglich, der be=
schmutzende feine Kießsand, den die Winde der
Tagesordnung uns in dichten Wolken zuführ=
ren, bringt bis auf den bloßen Leib.

Es giebt hier freilich mehrere öffentliche
Bäder an beiden Ufern der Donau, deren
Wasser zu diesem Zwecke benutzt wird; allein

---

*) Das neue Welpersche Bad an der Pomme=
ranzenbrücke zu Berlin führt diese passende
Inschrift an seiner Stirne.

außer dem Dianabad in der Leopold=
stadt, wüßte ich keins zu nennen, wel=
ches sich durch besondere Eleganz und auf=
merksame Bedienung ganz vorzüglich aus=
zeichnete.

Indeß giebt es hier eine andere seltene
Einrichtung, die ihrer Zweckmäßigkeit und un=
gemeinen Bequemlichkeit halber Beachtung
und großes Lob verdient. Man kann nämlich
in Wien zu jeder Zeit und unter allen Um=
ständen alle Augenblicke baden, ohne daß man
nöthig hat, über die Thürschwelle des eignen
Wohnzimmers zu treten.

Die Sache verhält sich also. Man sendet
nach der Badeanstalt, und läßt bloß die
Stunde bemerken, in welcher man in seiner
Behausung ein warmes Bad zu nehmen ge=
denkt; genau zur angezeigten Zeit erscheinen
zwei Männer, die eine Wanne in unser Zim=
mer setzen, das nöthige Badewasser wird, in
mehrern kleinen Fäßchen vertheilt, herbeige=
schafft und in wenigen Minuten steht ein
reinliches Bad, mit allem Zubehör, bereitet;
wir steigen aus dem Bette, bedienen uns des=

selben, kehren sodann wieder in die Federn
zurück, bezahlen in der That nur eine Kleinig=
keit, und im Nu verschwinden Wanne und
sämmtliche Baderequisiten, ganz ohne Geräusch,
wieder aus der Stube.

Wir rathen jedem Fremden, sich dieser in
einem hohen Grade bequemen Einrichtung zu
bedienen, und er wird finden, daß sich Alles
genau so verhält, wie wir es angegeben.

Die barmherzigen Brüder und die Elisabethinerinnen.

La véritable gloire est celle d'etre utile.

Dupaty.

* * *

Sie allein blieben mir die hochachtbar=
sten Männer in der großen Kaiserstadt,
und vor diesen würdigen Brüdern
entblößte ich stets voll wahrer Ehrfurcht
das Haupt, wenn mir der eine oder der an=
dere auf der Straße begegnete.

Ein eblere Orden wurde nie gestiftet; selbst besuchen muß man eine solche Anstalt, um sich von dem großen allgemeinen Nutzen, den sie förbert, recht lebhaft zu überzeugen.

Das Kloster und Krankenhaus des Ordens befindet sich in der Leopoldstadt; das letztere enthält Raum für mehr als 100 Kranke, mit deren sorgfältigster Pflege sich ungefähr 60 edle Barmherzige beschäftigen. Die zweckmäßige und liebreichste Behandlung, die höchste Reinlichkeit und unbedingte Toleranz karakterisiren das Institut. Die Statuten des Ordens sind die weisesten und humansten, die je gegeben wurden.

Armuth, Krankheit und Elend begründen die Ansprüche zur unentgeltlichen Aufnahme in das Krankenhaus der Barmherzigen; nie darf berücksichtigt werden, welcher Nation oder Religion der Nothleidende angehört, man findet hier unglückliche Türken und Juden, welche neben kranken Christen von wahren Christen Hülfe, Labung und Trost erhalten; eigentlicher religiöser Zuspruch wird nur demjenigen gespendet, der ihn verlangt, und selbst der Anschein der Proselytenmacherei von den wackern Brüdern vermieden.

Nur etliche der barmherzigen Brüder sind römisch = katholische Priester, die andern alle Laien und unter ihnen bewährte Aerzte, Wundärzte, Pharmaceuten und Krankenwärter. Eine dahin einschlägige Qualifikation bleibt Haupterforderniß bei der Aufnahme; die schwere Pflicht erheischt den ganzen Aufwand einer nicht gewöhnlichen physischen Kraft, daher werden nur junge und gesunde Männer von dem Orden zur Aufnahme würdig erachtet; Leute, die das dreißigste Jahr überschritten, bleiben in der Regel von derselben ausgeschlossen. Das Novizenthum dauert zwei Jahre, nach deren Beendigung ist der Austritt verstattet, und wenn der Entschluß des Kandidaten nicht wankt, so binden sofort heilige Gelübde für die übrige Lebensdauer ihn zur Ausübung der heiligsten Pflichten. Welche Resignation, das ganze Dasein, ohne Nachtruhe, freudenlos, an den Lagern ekler Kranken hinzubringen! — nichts destoweniger stellen sich

die frommen Brüder stets heiter und frohen
Muthes dar. Leicht läßt sich die Erscheinung
erklären: das schöne Bewußtsein, Gutes und
Nützliches vollbracht zu haben, beglückt edle
Menschen schon allein und läßt sie keine Be=
schwerden fühlen. Wessen Herz eine schwere
Schuld belastet, wer den Himmel mit sich zu
versöhnen hat, suche Seelenruhe in den Rei=
hen der Barmherzigen, und wenn nicht hier,
so findet der Unglückliche sie nie.

Man hat anderwärts häufig diesen wohl=
thätigen Orden aufgehoben, aber sehr Unrecht
hat man daran gethan; man prunke ja nicht
mit pallastähnlichen Krankenhäu=
sern, die häufig erstanden, weil das Residenz=
städtlein einer Zierde benöthigte; nie wird der
arme Kranke von den Händen träger Söld=
linge jene wohlthätige liebreiche Pflege em=
pfahen, die höhere Ansichten und Pflichten den
Orden der Barmherzigen üben lassen.

Die Zahl der von dieser frommen Brüder=
schaft zu Wien aufgenommenen Kranken be=
trägt oft in einem Jahre 3000. Leicht mag
man ermessen, daß ein solches Unternehmen.

bedeutende Summen verschlingt. Zwar bewei=
sen der kaiserliche Hof und das zahlreiche Pu=
blikum dem Orden große Wohlthätigkeit, allein
der Bedarf ist zu groß und der sehr würdige
Prior befindet sich beinahe stets in sehr drin=
genden Verlegenheiten, aber die wackern Brü=
der darben eher selbst, als daß sie ihre armen
Kranken nur die geringste Noth leiden ließen.
Ihr, die des Schicksals Laune mit Gold über=
schüttet hat, öffnet einmal einem edlen Ge=
fühle, wenn Ihr diese Blätter sehet, Eure Her=
zen und spendet ein kleines Scherflein von
dem Ueberflusse, den Barmherzigen zu
Wien; wahrlich keine Gabe kann ersprieß=
licher und zweckmäßiger verwendet werden.
Könnte es mir gelingen, hierdurch dem Orden
eine Unterstützung zu verschaffen, wahrlich — mir
würden die bittern Früchte lieblich versüßt, jene
Gallfrüchte, für die ich stets noch meine Wahr=
heiten alle austauschen mußte.

Die Barmherzigen sind im streng=
sten Sinne des Wortes die Samariter
unserer Zeit, indeß ich die egoistischen Li=
quorianer mit den berüchtigten hart=

herzigen Prieſtern und Leviten der heiligen
Schrift vergleichen möchte. Dieſen ſtehen jetzt
die Kaſſen vieler Vornehmen zu Gebot, in=
deß man jenen zuweilen nicht viel reichlichere
Gaben, als dem Bettler an der Heerſtraße
reicht. O, tempora! —

Neben ihrem Krankenhauſe haben die barm=
herzigen Brüder auch noch ein Reconvalescen=
tenhaus in der Vorſtadt Landſtraße, wel=
ches von der Kaiſerin Maria Thereſia
im Jahre 1753, geſtiftet wurde, und wohin
ſie ihre Geneſenden bringen, damit im Kloſter
um ſo eher wieder Raum für neu eintretende
Kranke werde.

Wenn es ſchon weniger ausgedehnt, ſo
verdient nichts deſtoweniger das Krankenhaus
der Eliſabethiner = Nonnen in der
Vorſtadt Landſtraße, jenem der barm=
herzigen Brüder an die Seite geſtellt zu
werden; die frommen Schweſtern nehmen im
Durchſchnitte jährlich gegen 500 kranke Weibs=
perſonen in ihre Anſtalt auf, welche mit glei=
cher lobenswerther Sorgfalt gepflegt werden.
Ein eigener Arzt und Wundarzt ſind in die=

sem Krankenhause angestellt, und die Elisa=
bethinerinnen haben hinsichtlich der Mit=
tel des Aufwandes mit weniger Sorgen, als
ihre ehrwürdigen Brüder, die Barmherzi=
gen, zu kämpfen.

Kriecherei.

Kühn erhebt der freisinnige, seines innern
Werthes bewußte Mann die Stirn, und mit
Ruhe sieht man die gerade Bahn ihn
wandeln. Der geistesbeschränkte, der in Vor=
urtheilen erzogene und von ihnen genährte
Mensch ist stets ein geborner Sklave;
seine Erbärmlichkeit fühlend, sucht er Schleich=
wege auf, durch Kriecherei hofft er die Pforte
des Glückes sich zu öffnen.

Indignirend stellte sich mir die Furcht und
Wohldienerei des subalternen östreichischen
Staatsdieners gegen seine Vorgesetzten dar;
lächeln muß ich aber jetzt noch, wenn ich an
einen jungen Kavalier denke, der zu Wien in

demselben Gasthofe mit mir wohnte, und mich
seines besondern Vertrauens würdigte, welches
zu erlangen übrigens gar nicht meine Absicht
war.

Der wenig versprechende und keineswegs
hoffnungsvolle Jüngling, Praktikant bei einem
Provinzialkreisamte, war nach der Kaiserstadt
gereist, um die Protektion eines Herrn Präsi=
denten zu gewinnen, in dessen Händen das
künftige Schicksal seines Lebens ruhte. Eines
Tages trat er höchst freudig in meine Stube,
und sprudelte mir folgende seltsame Rede ent=
gegen: „Denken Sie, es geht alles vortrefflich;
der Exzellenz=Herr (der Präsident) scheint
mir immer mehr gewogen zu werden, er läßt sich
gern schmeicheln, ich verstehe mich darauf, weiß
mich zu winden, wie ein Ohrwurm; die Ex=
zellenzfrau (die Präsidentin) bezeigt sich
auch gnädig, ich werde jetzt beinahe alle Tage
eingeladen und die (das) Exzellenzfräu=
lein (des Präsidenten Tochter) wird roth bis
an die Ohrenwaschel, wenns mich sieht. Herr
Jegerl! wenn ich die (das) Exzellenzfräu=
lein wegfischte, wär' ich 'n gemachter Kerl

und würde am Ende geheimer Rath; aber 's
Allerbeste ist, daß mich auch der Erzellenz=
bediente wohl leiden kann, der ist des
Erzellenzherrn rechte Hand; ich drücke
aber dem Erzellenzbedienten auch je=
den Abend, wenn er mir die Stiegen
(Treppen) herab leuchtet, n' fünfer (5 Gul=
den W. W.) in die Hand. Sagen's 'nmal,
mach' ich meine Sache gescheid oder nicht?"

Ich erwiderte: Pfui Teufel! auf jener
Erzellenzleiter, die Sie betreten haben
werden Sie nie zu einer geistigen, noch
vielweniger aber zu einer moralischen
Erzellenz gelangen, mein Herr!

Der gute Junge klotzte mich mit großen
Augen an, aber meiner Rede eigentlichen Sinn
hatte er nicht zu fassen vermocht.

Liquorianer.

Im Uebel liegt oft selbst ein Gut verborgen, —
So schwand zur Zeit der Sklaverei
Manch' eingewurzelt' altes Vorurtheil,
Das nun das grause Haupt erhebt.
Schaut ihn den hagern Mann in schwarzer Kutte,
Den Mann, — der, einstens Jesuit sich nannte.
Ihr wißt, weß schwarzen Geistes Kind er ist,
Und doch erhebt des bösen Vaters böses Kind,
Das Haupt nun stolz in dieser Kaiserstadt;
Das Kind gehört zur Gattung jener Kräuter,
Die giftig, schnell sich auf der Saat verbreiten.
Wie lange wird es dauern — ziehen wieder
Der Ablaßschacher und die Mönche durch das Land! —
Die weiten Säcke auf den breiten Rücken,
Brandschatzen sie, wie einst, die liebe Christenheit.
Der wilde Fanatismus regt sich wieder,
Und Feueropfer à la Huß zu schauen,
Wer weiß, ob dieses nicht bald möglich wird!
Propheten sah die letzte Zeit erstehen,
Die Herren nennen sich von Gott gesandt
Und schreien Ach und Weh dem, der's nicht glauben will.
Melpomene, sie haust in Gottes Tempel;
Die Religion, sie thront nicht in den Herzen,
Ach nein! — sie ist das Spiel der Mode nur.

* * *

Schon in meinem ohnlängst erschienenen Bockssprunge von Dresden nach Prag lie-
ferte ich in Betreff des Wiederauflebens der Jesuiten im Oestreichischen einige Aufschlüsse; jetzt bin
ich im Stande, darüber Näheres zu melden.

9

Jene Ordensgeiſtlichen, welchen zu Wien
der ſogenannte Paſſauer Hof zur Woh=
nung, und die Kirche zu Maria Stiegen,
zur Ausübung ihres Gottesdienſtes, in dieſem
Augenblicke eingeräumt ſind, nennen ſich zwar
Redemptoriſten oder in der neueſten Zeit
noch lieber Liquorianer; allein ihren
Statuten, ihrer Denk = und Han=
delsweiſe nach, ſind ſie nichts mehr
und nichts weniger als Jeſuiten; ja
ſelbſt die Tracht, und alle ehemalige ei=
genthümliche Gebräuche und Satzungen des
verſchollenen, aber nie gänzlich
todten Ordens, wie im Großen, ſo in
den unbedeutendſten Kleinigkeiten haben die
Herren, als auf dieſem Boden, nunmehr wie=
der förmlich in ihre Rechte eingeſetzt, beibehal=
ten, nur der einſtigen Benennung mochte ſich
die wiedergeborne Geſellſchaft bis jetzt
noch nicht bedienen *), doch nicht ganz dem

---

*) Auch die päpſtliche Unfehlbarkeit würde
leiden, wenn der Orden ſelbſt dem Scheine nach,
ganz ſo, wie er war, hergeſtellt würde; ſchon die
jüngſten Vorgänger der Liquorianer nannten

Zeitgeiſte trauend, der ſelbſt einige ſeiner
Stralen in die dunkelſten Winkel deutſcher
Staaten ſendete.

Ueber die Zwecke des Jeſuiterordens im
Allgemeinen zu reden, hält man hier für
gänzlich überflüſſig, indem dieſelben jedem gebil=
deten Leſer ohnehin bekannt ſind, und aus
der Geſchichte der Geſellſchaft von ſelbſt her=
vorgehen; allein Thatſachen zu berühren, die
in Wien Jedermann dem Fremden beſtäti=
gen kann, dieſes wird dem Autor nicht füglich
verwehrt werden können.

Man weiß bereits, daß den Redemp=
toriſten verſtattet bleibt, ſich in der Folge,
wie einſt, der Lehrſtühle ſämmtlicher hohen
gelehrten, und ſelbſt der niedern lateiniſchen
Schulen in ſämmtlichen öſtreichiſchen Staaten
zu bemächtigen; doch fühlt die neue Geſellſchaft

ſich nicht ex societate Jesu, ſondern: ex societate fidei Jesu. Dieſe Liquorianer behaup=
ten übrigens etwas mehr als ſpitzfindig: Die Jeſui=
ten ſeien gar nie aufgehoben, ſondern nur
unſchuldig unterdrückt (suppressi) ge=
weſen.

9 *

recht wohl, daß sie noch lange nicht zahlreich
genug, und daß sie auch noch nicht die gehö=
rige Konsistenz erlangt hat, die unumgänglich
erforderlich ist, mit Konsequenz einen so wich=
tigen Zweig ihrer Wirksamkeit zu erfassen; in=
deß ergreift die Gesellschaft der frommen Vä=
ter die zweckmäßigsten Mittel, recht bald da=
hin zu gelangen.

Man sucht zuerst dem Orden viele Mit=
glieder zu gewinnen, allein es geschieht in der
That mit Umsicht, und den alten Grundsätzen
treu, nimmt man lediglich nur Subjekte auf,
die entweder durch den Besitz bedeutender
klingender Schätze, durch vorzügliche jugend=
liche Schöne, oder aber durch scharfen Verstand
und große Wissenschaft sich auszeichnen *).

---

*) Ein Pater Professor aus der alten Gesellschaft
Jesu führte einst an einem schönen Sommertage
seine Schüler spazieren; einer derselben fragte den
Lehrer: „Welche Eigenschaften, hochwürdiger Herr!
muß derjenige haben, welcher Jesuit zu werden
wünscht?" —

Mein Sohn! erwiderte der Priester, indem er
die eine Hand auf die Stirn, die andere aber auf
die Geldtasche legte, entweder hier oder da muß

Wirklich ist es den frommen Vätern auch bisher schon gelungen, viele Novizen zu werben, welche ihren Anforderungen gänzlich entsprechen. Menschenkenntniß war dem Orden nie abzusprechen; Schwärmerei und Ehrgeiz, hinlänglich gereizt und bearbeitet, führen ihm Leute nach Wunsch, genug in die Arme; schon sind mehrere vermögliche Jünglinge, zum Theil aus guten und alten Geschlechtern, sein, und selbst ein Staatsbeamter zu Wien hat einem sehr einträglichen Amte und den angenehmsten Lebensverhältnissen entsagt, um Liquorianer zu heißen.

Man muß übrigens den Wienern zu ihrer Ehre nachsagen, daß sie im Allgemeinen über die neue Gesellschaft der frommen Väter eben nicht große Freude zeigen; allein diese hoffen mit Recht Alles von der Zeit, und vermögen sich um so leichter zu trösten, da ihnen

─────────

man guten Vorrath besitzen, wenn man zur Aufnahme in den Orden gelangen will.

„Ei, rief der schalkhafte Schüler aus, indem er auf die Geldtasche klopfte, Ew. Hochwürden hatten gewiß hier allein recht guten Vorrath."

anderwärts außer dem Orden selbst mächtige
Freunde leben, deren Kassen ihnen offen stehen;
vor einigen Wochen erst hat ein bedeutender
Mann, auf dem Todtbette, den Orden der
Liquorianer zum Universalerben eingesetzt.

Die frommen Väter denken daran, sich ein=
zurichten, und schon ist ihnen der Passauer
Hof nicht mehr bequem und geräumig ge=
nug; sie beabsichtigen eine weitläufige Vergrö=
ßerung des Gebäudes, und der Kostenan=
schlag stellt sich bedeutend genug dar. Ein
großer Mann fragte: „Aber woher, meine
Herren! werden Sie das Geld zu Ihren be=
absichtigten Bauten hernehmen? die Regierung
meint, Sie könnten sich zuerst bequemen, man
kann Ihnen keine neue Summen bewilli=
gen." — O, erwidern die frommen Väter,
wir benöthigen deren nicht, werden aber den=
noch den Bau ausführen, denn der hei=
ligen Kirche leben genug fromme
Gönner und Freunde.

Uebrigens geben sich die Liquorianer
durch Verbreitung von Flugschriften und Kan=
zelreden dennoch alle ersinnliche Mühe, das

Volk für sich zu stimmen; Ihrer Lehren einziger und steter Sinn bleibt:

„Einzig der Glaube macht selig, und wer sich er-
kühnet zu denken,
Und die Vernunft gar gebraucht, der ist auf
ewig verdammt."

Während meiner Anwesenheit in Wien
erschien aus der Feder eines Liquorianers
wirklich eine Broschüre, welche den Titel
führte: „Die Grenze der menschlichen
Vernunft," und ein gewisser Pater Passy
wird nicht müde, in dem angegebenen Geiste
stets neue Produktchen zu liefern; auch von
der Kanzel wird nach dem Ziele hingewirkt,
und die Kontroverspredigten, nach altem Zuschnitte, gehören schon wieder zu den
nicht seltenen Erscheinungen.

Nebenher vermengen die Liquorianer ihren
Gottesdienst zu Maria Stiegen mit allerlei Schnurrpfeifereien, welche das Wesentliche
des Kultus nicht bedingt. Vorzüglich stark
in dieser Hinsicht trieben es die Herren in
der Charwoche.

Das sogenannte heilige Grab hatten sie sich

in's geheim von einem gewissen Theater=
meister einrichten laffen, um eine recht die
Sinne ansprechende Dekoration darzustellen;
brennender Spiritus erhellte allein das Dun=
kel, und bewirkte eine Art magischer Erleuch=
tung, auf schwarzem Grunde aber waren in
güldener Schrift deutlich die Worte: „Co-
piosa redemptio," zu lesen; Worte,
deren Doppelsinn selbst dem Unbefangen=
sten auffiel, und von dem triumphirenden
Stolze der frommen Väter sattsam zeugte;
ferner gab ein blühender Jüngling in der
Gegend des hohen Altars den sogenannten
Kreuzpartikel zu küffen, und ich sah, von
Aergerniß mit Recht erfüllt, wie alternde
Weiber inbrünstig und lange die Monstranz
an den verwelkten Busen drückten, während
ihre geilen Blicke die schönen Züge des jungen
Liquorianers, welcher das Kleinod reichte,
zu verschlingen drohten.

Ein anderer noch mehr anmuthiger und
junger Redemptorist bettelte an des Tempels
Pforte zum Besten der frommen Gesellschaft, und
reichliche Spenden flogen auf seinen Teller.

Ein vertrauter Freund, welcher mich begleitet hatte, fragte leise, nachdem wir die
Kirche verlaſſen:

„Wohin wird dieſe Thorheit uns noch führen?" Ich erwiderte eben ſo:

Zu beſſern Dingen, als du vielleicht glaubſt.

Der Menſchen Welt — ſie iſt ein Wunderweſen,
Extreme bieten ſich in ihr die Hand.
Wenn ächte Klugheit thront auf hohen Punkten —
Sie muß zur Thorheit dann ſich wieder neigen,
Und eine lange noch ſo ſchwarze Nacht
Erleuchtet plötzlich oft ein heller Funke.
Der Menſchen Geiſt — er bleibt ſich ewig gleich,
Sein Streben folget ewigen Geſetzen —
Die Noth, nicht Worte — hemmen ſeinen Lauf,
Und wär' die Zeit nicht günſtig uns geweſen —
Wir hätten nimmermehr ſie reformirt —
Und Alles hängt von ihr, der Mächt'gen ab;
Behauptet ſie gewaltſam ihre Rechte,
Dann reformiret ſich — die Menſchheit ſelbſt.
Tempus asportat veritatem! — —

Kebsweiber und Roués.

Mäitreſſen, glänzende Equipagen, ſchöne Hunde und ein kleines Heer koſtbar gekleideter Bedienten zu halten, gehört zum Tone des hohen Adels; hierin ſtrebt ein Grand dem andern es zuvorzuthun, (ein edler Wetteifer!) und der Beſitzthum jener Dinge diſtinquirt die alte, ſtiftsfähige Raçe vor dem ſogenannten Lyoner, (unächten) Adel und vor der Kanaille im Allgemeinen.

Bei der Wahl der Kebsweiber werden lediglich Jugend und phyſiſche Vorzüge beachtet. Fällt einem Matador irgend ein junges, blühendes Mädchen in's Geſicht, deren Anblick ſeine Sinnlichkeit hinlänglich entflammt, ſo läßt er ihr ohne Umſtände durch ſeinen Sekretär oder Kammerdiener Anträge gewiſſer Art machen, und der Papa Kanzelliſt oder Protokolliſt hält es in der Regel für ein

seltenes Glück und nicht gemeine Ehre, wenn
die Tochter erklärte H**e des Fürsten X.
oder Grafen Y. wird; zuweilen wird um das
arme Ding, wie auf dem Constantinopolita-
nischen Sklavenmarkte, gefeilst und gehandelt.

Kommt der Vertrag zu Stande, so wird das
Schlachtopfer sofort dem neuen Gebieter übergeben; doch ein solches Schlachtopfer weiß sich
bald genug in seine neue Lage zu finden, und
fühlt sich in derselben nichtsweniger als unglücklich. Der Herr Fürst X. oder Graf Y.
sind in der Regel großmüthig genug, dem in-
stallirten Kebsweibe ein kleines Kapital zu
verschreiben; es werden dem Mädchen schöne
Kleider und ein niedliches Schooßhündchen angeschafft; es bezieht eine eigene glänzende
Wohnung u. s. w. Nun besucht der Grand
seine H**e regelmäßig und tagtäglich zu gewissen Stunden, und es hängt von dem natürlichen Verstande und von der Art, wie es
seine Reize geltend zu machen weiß, ab, ob
das Mädchen den gnädigen Herrn längere
oder kürzere Zeit fesselt, und ihn in einem
höhern oder geringern Grade ausplündert.

Gewöhnlich aber bekommt der Herr Grand
die unterhaltene Schöne zeitig satt, weil sie
höhern geistigen und Conversationsgenuß nicht
zu gewähren vermag, und für welchen der
Gnädige ohnehin nicht empfänglich wäre. Sind
die geilen Lüste erst gestillt, so besucht der Fürst
oder Graf das Kebsweib ungemein selten, sie
aber macht zur Ehre des hochadligen Namens nach wie vor als seine H**e Figure,
vergeudet, wenn Leichtsinn oder glühendes Tem-
perament ihr beiwohnen, in den Armen der
Roués, Abenthœurer oder Soldaten dasjenige,
was die Großmuth des Gnädigen gespendet; oder
vermehrt, dem Spekulationsgeiste ergeben, ihr
Kapital dadurch, daß sie reiche Gimpel unter
und hinter der Hand in ihre Netze zu locken
weiß. Eine Heirath pro forma mit einem
armen dummen Teufel bedeckt am Ende das
ganze Unwesen mit dem Mantel der christ-
lichen Liebe.

Auch an Roués ist in Wien kein Mangel; allein ihnen das Prädikat: liebens-
würdig (aimable) wie den Pariser Gal-
gonstricken zu verleihen, kommt man hier in

keine Versuchung, und der wienerische Roué
hat mit dem gallischen nichts als unmo=
ralische Grundsätze gemein; seine Gewandt=
heit, angenehme gesellschaftliche Formen, Men=
schenkenntniß und sorgfältige Geistesbildung
trifft man bei den erstern nie. Diese Roués
sind häufig Menschen, die ursprünglich den er=
sten Ständen angehören, ihr Vermögen bei
der Armee oder durch zwecklose Reisen ver=
geudeten, und die nun den ehemaligen unsin=
nigen Aufwand fortzusetzen streben, ohne über
die hierzu nöthigen Mittel disponiren zu kön=
nen, welche sie nun auf eine nicht gerade im=
mer ehrenvolle Art zu ersetzen bemüht sind.

Die Beschäftigung dieser traurigen Roués,
so wie der hoffnungsvollen, hochadeligen männ=
lichen Jugend bleibt sich stets gleich. Durch
ausgesuchte Näscherei suchen sie den Gaumen
zu kitzeln, durch starke Getränke die Sinne zu
benebeln, sie machen im Tempel des nur
etwas modernisirten Kasperl auf
Lustnymphen Jagd, kopiren den Britten
zuweilen erbärmlich, und jagen zu Roß und
Wagen durch die Jägerzeil und die

Alleen des Praters, daß man seines Lebens
nicht sicher ist.

Auch selbst verarmten Junkern wohnt noch
die Manie bei, Kebsweiber zu halten,
und da es zur Bestreitung der kostspieligen
Liebhaberei am Besten fehlt, so nehmen die
Herren zu einer Procedur ihre Zuflucht, welche
eben so häufig ist, als sie sich empörend darstellt.

Herabgekommene Roués suchen wenigstens sorgfältig genug, den Schein der Wohlhabenheit zu erhalten, und locken durch diesen,
wie es in der That reiche Kavaliers auch zu
thun pflegen, junge reizende Mädchen aus der
ärmern Klasse des Mittelstandes an sich; ein
seidener Carbonarimantel, ein güldenes Kreuzlein und dergleichen Lappalien wirken unwi-
derstehlich auf die jungen Thörinnen; sie rennen blindlings in ihr Verderben, indem sie
sich als förmlich unterhaltenes Kebsweib eines
gnädigen hochadeligen Herrn für Zeit ihres
Lebens geborgen glauben. Der gnädige Roué
pflückt die Rose, allein sich und seiner magern
Börse eine neue Last aufzubürden, liegt nicht
im Plane; fängt die arme Betrogene an, den

Wüstling zu langweilen, so entzieht er ihr seine
Unterstützung und legt dem Mädchen selbst
Fallstricke, daß er sie der Untreue beschuldigen
und mit guter Manier sich vom Halse schaffen
kann, bei welcher Gelegenheit einem solchen
hintergangenen Kebsweibchen gewöhnlich auch
noch die Praetia affectionis, welche es früher
erhalten hatte, abgenommen werden, und in
Verzweiflung, von allen Mitteln, sich zuerst
zu helfen, entblößt, sinken solche Mädchen dann
gewöhnlich schnell in die Klasse der gemeinsten
und verworfensten Lustnymphen hernieder.

Es bleibt hier scharf verpönt, über die
Nase des Großmoguls zu sprechen;
allein daß Schändlichkeiten dieser Art gerügt
würden, wenn der Sünder nur einer gewissen
Kaste angehört, davon hört man nicht.

Man schrieb oft von einer ganz ausgezeichneten Bieder- und Rechtlichkeit, welche
den Wienern vorzugsweise eigen sein
soll; allein der unbefangene Beobachter wird
sich an Ort und Stelle bald zu überzeugen
Gelegenheit finden, daß es in Wien gerade

so viel ehrliche Leute, aber auch so viel
Schufte giebt, als in jeder andern großen,
deutschen Residenzstadt.

Chronique scandaleuse.

Sie war das erste unheilbringende Geschenk,
welches dem sogenannten kultivirtern Theile
der Menschheit aus Pandorens *) berüch-
tigter Büchse entgegenflog; man findet sie in
großen, wie in kleinen Städten; allein ihre
verschiedenartige Gestaltung kann dem ächten

---

*) P. Fr. A. Nitsch sagt in seinem mythologischen
Wörterbuche, von welchem ohnlängst Fr. G. Klo-
pfer eine neue, vortreffliche Bearbeitung heraus-
gab, sub. Art. Pandora sehr richtig: „Dieser My-
thus bedeutet nichts mehr, als daß durch die Einführung der Künste und der Kultur unter das
Menschengeschlecht, die hier in der Gestalt eines
vollkommenen Frauenzimmers geschildert werden, Un-
gemach und Elend unter die Menschen einbra-
chen.“ — Die Herren Wiener mögen es mir selbst
übrigens Dank wissen, daß ich hier Künste und
Kultur, als unter ihnen einheimisch, annehme.

Psychologen wieder einen Maaßstab leihen, nach
welchem er die Leutchen eines Ortes näher zu
beurtheilen vermag.

Die Wiener Lästerchronik hat das
Eigenthümliche, daß in ihr beinahe stets die
hohe Polizei eine Rolle spielt, weil diese
Behörde hier schon einmal nicht anders ge=
wöhnt ist, als sich in Alles zu mischen, in je=
den Unrath die große, feine Nase zu stecken.
Man vernehme ein paar komische Beispiele.

Eine reizende, höchst liebenswürdige k.
P***z***in fuhr dieses Jahr, als der Lenz
gerade seine Anmuth zu entwickeln anhub, in
den Prater. Das schöne Wetter lockte die
Dame aus dem Wagen, und sie promenirte
in der großen Allee mit ihrer Begleitung.
Hier begegnete der P***z***in ein fran=
zösischer Oberst, der sich erst seit kurzer Zeit
in Wien aufhielt und, wie behauptet wurde,
eigens nach der Kaiserstadt gereist war, den
kleinen Napoleon von Angesicht zu An=
gesicht zu sehen.

Der Gallier trug ein frisch gepflücktes, duf=
tiges Veilchenbouquet in der Hand, und der

10

Sitte seines galanten Vaterlandes treu, wagte
er, Floras erste Kinder jener jungen Dame
mit artigem Anstande zu überreichen, ohne
übrigens derselben hohen Rang zu ahnen. Die
H***z***in nahm das kleine Geschenk freund=
lich lächelnd an, indem sie verbindlich dankte,
welches Benehmen den Offizier dermaßen bezau=
berte, daß er sich empfehlend, unwillkürlich
ausrief: „Oh que vous étez aimable, Made-
moiselle!"

Die hohe Polizei gelangte zur Kenntniß
dieses unbedeutenden Vorfalles und deutete
dem Obersten des andern Tages in aller Frühe
an, unverzüglich die Stadt zu ver=
lassen.

Aus der kurzen Geschichte geht die beach=
tungswerthe Moral hervor, daß man zu Wien
keiner vornehmen Dame einen Blumenstrauß
überreichen, noch weniger aber sie liebens=
würdig nennen darf.

Ein mehr noch besprochener Gegenstand
des Tages blieb, während meines Aufenthal=
tes zu Wien, ein anderer hochwichtiger
Vorfall.

Der fremde P**** von N****l, hier
P**** von S****n genannt, steht über=
haupt in Betreff der Sittlichkeit, keineswegs
im besten Rufe, und unterhielt unter Anderm
einen vertrauten Umgang mit zwei kostbaren
Hetären jüdischer Abkunft, die Demoiselles
Ke*l heißen. Eines Abends im Theater be=
fanden sich diese reizenden Kinder im Parterre,
der P**** bemerkt sie oben in seiner Loge
und winkt ihnen mehreremale freundlich zu,
bis endlich das eine Mädchen, Artigkeitshalber,
die Winke mit einem leisen: „Bon soir, mon
p****e!” erwidern zu müssen glaubte.
Gleich wurden beide Mädchen von der Polizei
arretirt und hochnothpeinlich inquirirt. Die eine
Hetäre hatte freilich die Schicklichkeit verletzt,
aber doch gewiß nicht in so hohem Grade als
Monsieur le p****e selbst, und dessen Ehre
wäre gerade minder gefährdet gewesen, hätte
man in aller Stille die Sache abgemacht; im
Gegentheile aber erregte sie nun großes Auf=
sehen und die Jüdinnen waren selbst noch ver=
haftet, als ich Wien verließ.

10 *

Der Graben und der Kohlmarkt.

Ruhm, Reichthum, Pracht, der Welt Be-
schwerde,
Vom Pöbel hoch verehrt,
Sind Wahn — und nicht des Herrn der Erde
Der Weisen, werth.

E. v. Kleist.

    *   *   *

In dem einmal feststehenden Plane dieses
Werkchens kann es unmöglich liegen, einzelne
Theile und Plätze der östreichischen Kaiserstadt
einer detaillirten Beschreibung zu würdigen;
indessen glaubt man mit dem Graben und
Kohlmarkte eine Ausnahme von der Regel
machen zu müssen, indem gerade diese beiden
Stadttheile es sind, welche den aufmerksamen
Beobachter am richtigsten und schnellsten mit
der Physiognomie und dem eigenthümlichen
Karakter des wienerischen Wesens und
Treibens im Allgemeinen vertraut zu ma-
chen vermögen.

Der Graben befindet sich beinahe in Mitte
der Stadt, bildet ein ziemlich schmales Oblong
und wird öffentlicher Platz genannt, aus
ihm biegt man in den Kohlmarkt, der
nur eine Straße mit 24 Häusern ist. Auf
dem Graben steht die Dreifaltigkeits=
säule, welche Leopold I. i. J. 1693 zum
Andenken der verheerenden Pest d. Jahres 1679
setzen ließ. J. Pezzl nennt den Bildhauer
Strudel als Verfertiger des Denkmales,
ältere, glaubwürdige Werke aber schreiben sie
Octavio Burnaccini zu. So viel Rüh=
mens inländische Schriftsteller auch von dieser
Statue schon öfters machten, so ist doch die
Wahrheit, daß das Kunstprodukt mehr von
der korrupten Phantasie des Künstlers als
von seinem lautern Geschmack zeugt; heilige
Contrefaits, Engel, Kreuze, Fahnen, Wolken
und andere Schnurrpfeifereien sind auf eine
barocke, belachenswerthe Art zusammen ge=
häuft, und das Ganze stellt sich gegen den klei=
nen Platz als ein schwerfälliger Koloß dar.
Der belebteste Fleck in dem ganzen großen
Wien bleibt stets der Graben; hier drängen

sich zu jeder Zeit des Tages bunte Menschen=
massen untereinander, die Erdgeschosse alle
aber stellen Kaufläden dar, in welchen man die
herrlichsten und neuesten Galanterie = und Putz=
waaren in verschwenderischer blendender Hülle
und Fülle und in der That ungemein ge=
schmackvoll geordnet erblickt; beinahe jedes Haus
bezeichnet hier ein gewöhnlich recht wacker ge=
maltes Schild, ein g r ü n e r J ä g e r folgt in
der Schilderordnung einer r e i z e n d e n S k l a =
v i n, dieser eine s c h ö n e L i n z e r i n, der H e r =
z o g v o n F r i e d l a n d 2c.

Der G r a b e n liefert das Bild einer klei=
nen Welt und ist nach dem bekannten P r a =
t e r das zweite P a r a d e p f e r d der Wiener.
An schönen Tagen gegen die Mittagsstunde
promenirt der bedeutendste Theil der beau
monde auf dem G r a b e n und K o h l m a r k t e
bis zur Michaelskirche und dann wieder retour;
der Weg wird im dicksten Gedränge, zumal an
Sonn = und Feiertagen, zurückgelegt, und man
erblickt hier die bedeutendsten Schönheiten der
Kaiserstadt zierlich und prachtvoll geschmückt,
s e h e n und g e s e h e n zu werden bleibt Haupt=

zweck; die berühmtesten Roués, Kebsweiber
und Hetären fehlen bei der großen Schaupa=
rade nie; man stößt, drückt, wird gestoßen
und gedrückt und kehrt erschöpft, mit Staub
bedeckt, und von Schweiß triefend endlich nach
Hause, zurück, um sich auszukleiden, Wäsche zu
wechseln und sich zu restauriren. — Das heißt
großstädtischer Genuß! Jenes Getriebe auf
dem Kohlmarkt und Graben, der seltene
Glanz, Reichthum und Pracht, welche man dort
entwickelt findet, ziehen anfangs jeden Fremden
unwillkürlich an, allein der Neuheit Reiz schwin=
det, die ganze Komödie hört bald genug auf,
den Philosophen zu interessiren. Man erblickt
ewig nur dieselben Gesichter und Gestalten;
hat man die Promenade einigemal in Gesell=
schaft eines ächten Wieners zurückgelegt, so weiß
man die Namen der aufgeputzten feinen Herren
und Damen bereits alle zu nennen und man
verwundert sich, welchen Spaß die Leute daran
finden können, hier tagtäglich, Jahr aus Jahr
ein, durch die beschränkten Räume zu prome=
niren und zu paradiren.

Aehnliche Bemerkungen hatte, nachdem er

einige Wochen das Getriebe mit angeschaut, auf
dem Graben ein Britte gemacht, indem er
lachend ausrief: „Geht mir mit Euren Herrlich=
keiten; es giebt in ganz Europa eigentlich
nur zwei große Städte, London und .
Paris, die übrigen alle sind nur größere
oder kleinere Krähwinkel! — —

Scientifisches Erziehungswesen.

Unorthographischer wird im Allgemeinen in
keinem deutschen Staat jetzt mehr geschrieben,
als im Oestreichischen; man erstaunt, wenn
man in Briefen und Billeten, die aus der Feder
dieses oder jenes Mannes, welcher entweder dem
feinern Stande, oder aber gar dem eigentlichen
Geschäftsleben angehört, Schnitzer und auch
nichts als grobe Schnitzer findet; allein
dieses dein Staunen, sinniger Fremder! wird
schwinden, wenn du dich überzeugen magst, wie
Wiens Pädagogik überhaupt beschaffen,
und auf welche heillose Art namentlich in bei=

nahe sämmtlichen Schulen die Sprache des
Vaterlandes vernachlässigt und verhunzt wird.

' Ich besuchte zwei sogenannte Trivial=
schulen in Wiens Vorstädten, und gelangte
dort nach einem kurzen Aufenthalte zu der
festen Ueberzeugung, daß man kühn eine hohe
Prämie darauf setzen dürfte, eine trivialere
und elendere Methode, dem Kinde das
Buchstabiren beizubringen, als die hier
herrschende zu erfinden; der Preis würde sicher
unerledigt bleiben. Man quält die Kinder
mit Definitionen der Buchstaben, was z. B.
ein B oder P, ein D oder T ist u. s. w.
halb zu Tode, und um das Lesen beizubringen,
werden alle Silben des Worts abgebrochen
und vom Kinde laut nachgesprochen; z. B.
Ver — si — che — rung, und auf jede
Sylbe gleichsam appuyirt. Auf diese Weise
verlängert man einen ohnehin beschwerlichen
Weg, statt ihn abzukürzen; längst verfolgt man
allerwärts bessere, allgemein als zweckmäßiger
anerkannte Methoden, allein hier bleibt man
noch dem alten Schulmeister=Schlendrian wie
vor hundert Jahren ergeben; woraus denn

höchst natürlich hervorgeht, daß es nirgend
mehr erwachsene Menschen giebt, als
in Wien, welche in ihrem Leben nicht
recht buchstabiren und lesen, vielwe=
niger aber richtig schreiben und spre=
chen lernen. Man besuche öffentliche Orte
und höre dort Jemand eine Zeitung oder einen
Brief vorlesen, man gehe in Predigten oder
in kleinere Theater, und man wird bald zu
der Ueberzeugung gelangen, daß ich nicht grund=
los und nicht zu viel behauptet habe. In den
Kaffeehäusern werden die Zeitungen wirklich
nicht gelesen, sondern im eigentlichsten Sinne
des Wortes buchstabirt; vor Verlauf von zwei
Stunden legt der Wiener das einmal ergriffene
neueste Zeitungsblatt selten aus der Hand.

Selbst in den Gymnasien und andern Lehr=
anstalten geschieht für die vaterländische Sprache
so viel als nichts, und die Lehrmethode ist im
Allgemeinen die trockenste und ermüdendste, so
daß durch sie selbst dem reifern Knaben Ekel
vor dem Lernen im Allgemeinen erweckt wer=
den muß; häufiges, gänzlich mechanisches Aus=
wendiglernen ist an der Tagesordnung und

man scheint es darauf angelegt zu haben, den
Jüngling möglichst lange zu verhindern, seinen
Verstand wirklich zu gebrauchen und selbst zu
denken.

Einer etwas vortheilhaftern Auszeichnung
unter den Lehr = und Erziehungsanstalten der
Kaiserstadt verdienen die k. k. Ingenieur = Aka=
demie, die k. k. medicinisch = chirurgische = Jose=
phinische Akademie, die k. k. orientalische Aka=
demie und endlich, seiner Gemeinnützigkeit
halber, das polytechnische Institut; dagegen
hört man selbst von den Wienern nichts we=
niger loben als das Theresianum, wo
ausschließlich ●●●r adelige Jünglinge erzogen
werden, und von jeher Onanie und Stu=
pidität zu Hause waren.

Sämmtliche deutsche, katholische Uni=
versitäten befanden sich noch vor ungefähr
zwanzig Jahren in einer höchst traurigen Ver=
fassung; es hat sich seitdem viel geändert, und
die Hochschulen von Würzburg, Lands=
hut, Breslau und andere dürfen nun
kühn mit den protestantischen hohen Schulen
wetteifern, nicht so die wiener Universi=

tät. Die letztere steht noch auf jener niedri-
gen Stufe, von welcher sie sich nie bedeutend
zu erheben vermochte; denn selbst einige Ver-
besserungen, welche diese hohe Schule dem
weisen, zweiten Joseph zu verdanken
hatte, sind längstens wieder eingegangen, und
in diesem Augenblicke bleiben eine elende
Methode des Unterrichts, ein schimpfli-
cher Zwang, unter dem die akademischen
Bürger schmachten; — einen solchen Zwang
haben in höherm oder geringerm Grade freilich
Zeitverhältnisse beinahe allerwärts herbeige-
führt —; mittelmäßige Lehrer, parteiische und
zwecklose Prüfungen, pedan ● des Brot-
studium u. dgl. karakteristische Züge der
wiener Universität. Wie der Lehrstuhl
der Gottesgelahrheit beschaffen, läßt
sich leicht denken; das Studium der Rechts-
gelehrtheit ist noch immer nach altem
Schlendrian geformt, und hält alle Absurdi-
täten des corpus juris, der Decretalen, und
die Auslegungen der Curjacius, Bartho-
lus und Balbus für Evangelia; von eigentlicher Philosophie kann gar keine

Rede. sein, es ist ein Ding, das man hier nicht einmal dem Namen nach kennt, und einzig und allein das Studium der Arznei= wissenschaft stellt sich uns zweckmäßig und empfehlungswerth dar.

Nichts destoweniger dürfte die Universität sich vielleicht noch Glück wünschen, ihren nun= mehrigen sehr mittelmäßigen Stand behaupten zu können, allein ihr droht ein naher, gänzli= cher Verfall. Bald genug werden die from= men Väter, Liquorianer, sich ihrer Lehr= stühle bemächtigen, und mit ihnen werden der alte scholastische Unsinn, die Barbarismen und Gallizismen ██ Jesuitischen Schule die ge= weihten Hallen zu abderitischen Ställen her= abwürdigen, und man wird wie ehemals wie= der disputiren: „An asinus existat, vel non existat?' das heißt in freier deutscher Ueber= setzung: ob der Esel wirklich ein Esel, oder aber ein lesender Professor sei?"

Bei einer solchen Gestaltung der Dinge kann man sich nicht wundern, wenn man selbst ausgezeichnete wiener Schriftsteller und Dichter im Felde der deutschen Rechtschrei=

bekunft so oft ftraucheln fieht, ungeachtet die
Herren alle, wie ich mich felbft überzeugte,
Abelungs Wörterbuch auf ihren Schreib=
tifchen liegen haben.

Man wird mir einwerfen: „Aber Wien
erzeugt dennoch wackere, wiffenfchaftlich = aus=
gebildete Köpfe, phantafiereiche Dichter, denen
Gefchmack nicht abzufprechen u. f. w. Wie
aber ift diefes möglich, wenn es in der fcien=
tififchen Erziehung im Allgemeinen fo arg
fehlt?"

Ganz recht! aber man höre nur, wie fich
ein wackerer, leider längft vergeffener Schrift=
ner des vorigen Jahrhunderts ● ● diefen Ge=
genftand äußert:

„Es ift unmöglich, daß fich natürliche
Fähigkeiten und Anlagen zum gefunden Men=
fchenverftand und zu einer richtigen Urtheils=
kraft gänzlich unterdrücken laffen, wenn auch die
Umftände noch fo ungünftig, die R — — — —,
und die Erziehung noch fo fchlecht fei; es ift
unmöglich, daß, wenn auch alle diefe Hinder=
niffe eintreten, nicht einzelne Menfchen hier
und da einen hellen Verftand, einen offenen

Kopf, Anlagen zum Witz und zum richtigen
Denken zeigen. Es ist unmöglich, daß ein
noch so rohes Volk nicht einzelne Schrift=
steller von Werth, nicht isolirte Denker
und Scharfköpfe hervorbringen sollte; wir
wollen nicht Frankreich erwähnen, welches
unter dem größten Drucke die größten Men=
schen aller Art erzeugte; wir wollen nur
Spanien, wie es einst war, betrachten;
lebte nicht unter Philipp II. ein Cer=
vantes, ein Quevedo, ein Calderon,
Lopez de Vega und Moreto? kann
man noch mehr Philosophie, Witz, Geist und
Scharfsinn vereinigen, als diese gigantischen
Köpfe? und doch lebten sie unter einem Phi=
lipp, dem Zunftmeister der Despo=
ten, und dem Virtuosen der Tyran=
nei; welch' freier Schwung der Gedan=
ken, welche tiefe Welt= und Menschenkennt=
niß, welch' treffend Gemälde des menschlichen
Herzens und seiner Leidenschaften, welcher
Reichthum von Witz in allen ihren Schrif=
ten! — Warum sollten Oestreicher nicht
auch ihre Fähigkeiten zeigen und sich durch

Wiß und Verstand auszeichnen können? aber
wer kann mir einen einzigen gebornen Oest=
reicher und gebornen Wiener insbesondere
zeigen, der jemals ein großer Staatsminister,
oder ein großer Feldherr, ein philosophi=
scher Schriftsteller oder ein praktischer
Gelehrter von ausgezeichnetem Verdienste ge=
wesen? — (??) *). Ich gestehe gerne ein, und
bin weit davon entfernt, ungerecht, und par=
teiisch zu sein — Wien hat große Maler,
gute Kupferstecher, große Dichter,
gute Bildhauer; Wien hat einen Gluck
und Maron, einen Denis und Blumauer
hervorgebracht. Oestreich hat Leute von Ver=
dienst in jeder Kunst; allein Kunsttalente sind
von Fähigkeiten des Verstandes und der Ur=
theilskraft gänzlich verschieden, man kann ein
Raphael sein und nicht wissen, daß der Mensch
frei geboren; man kann die Peterskirche
gebaut und die Alceste gemacht haben, und
an Hexen und böse Geister glauben —
man kann den Ossian vortrefflich über=

*) Jener Autor schrieb im Jahre 1789.

setzen und glauben, daß der Papst unfehlbar
sei." —

Ob der Mann, der also schrieb, mit gesun=
den Augen sah, oder nicht? wir überlassen es
lediglich unserm Publikum zur Beurtheilung. —

Reflexionen über Oestreichs poli= tisches Verhalten hinsichtlich der neugriechischen Angelegen= heiten.

Alle Maaßregeln, die ich zu Wien, ein auf=
merksamer Beobachter, ergreifen sah, deuteten
klar und unverkennbar darauf hin, daß man
hier, ein ungemein friedfertiger Nachbar, das
Interesse der Osmanen wahrnimmt, wo es
nur immer angeht.

Dieses auffallende Benehmen zu vertheidi=
gen, werden folgende Gründe angenommen:

Man glaubt den Türken noch immer Dank
schuldig zu sein, weil sie Oestreich nicht bedroh=

II

ten, als daſſelbe in den Jahren 1805 und 1809 in unſelige anderwärtige Kämpfe ver= wickelt war.

Man fürchtet hier bei weitem mehr das Annähern und Ausbreiten der Ruſſen auf einer gewiſſen Stelle, als jeden andern politiſchen Unfall.

Man meint ſchon deshalb die gerechte Sache der Neugriechen nicht billigen zu dür= fen, weil dem öſtreichiſchen Scepter ſelbſt Griechen unterworfen ſind. Wie? frägt das wiener Publikum einſeitig genug, hieße die Sache der türkiſchen Griechen unter= ſtützen, nicht zu gleicher Zeit ſelbſt eigene Unter= thanen zum Aufruhr reizen?

Endlich widerſetzen ſich einflußreiche Feld= herren und Staatsmänner ſchon ganz ernſthaft jeder hoſtilen Geſinnung gegen die Türken aus dem Grunde, weil die meiſten der Herren großen Reſpekt vor den Herren der Pforte und deren überwiegender Kriegs= kunſt hegen, auch die Unterſtützung der Brit= ten viel höher anſchlagen, als ſie es verdient. Ich hörte ſelbſt ſolche Herren ungefähr folgen=

dermäßen raisonniren: „Die Türken (selbst
vereint mit Rußland, und die Einwirkung der
Häteristen nicht zu vergessen) aus Europa
zu jagen, bleibt weiter nichts als eine unaus=
führbare Chimäre; wir haben ja lange genug
mit den Osmanen gekriegt, wir müssen das
besser verstehen; der Verlust einer Armee und
ungeheurer Summen waren stets die Resultate
solcher Kriege, und die Sultane herrschten in
Stambul nach wie vor."

Man erlaube mir diese Raisonnements der
Reihe nach zu würdigen.

Im Jahre 1805 saß Selim III. noch auf
dem Throne der Muselmanen; jeder gebildete
Leser weiß, zu welchem hohen Grade dazu=
mal schon in den türkischen Staaten die Anar=
chie gelangt war, selbst die kleinsten Paschas
kündigten, einer nach dem andern, dem Sul=
tan den Gehorsam auf und thaten, was sie
mochten, indessen die Kriege mit Russen und
Britten die intensive Kraft des Reiches ohne=
hin schon ungemein geschwächt hatten.

Durfte aber Oestreich unter solchen Ver=
hältnissen schon im obigen Jahre von Seiten

11 *

der Pforte durchaus nichts befürchten, so war
dieses noch weniger im Jahre 1809 der Fall.
Stambul hatte in kaum mehr als einem
Jahre (vom 29sten Mai 1807 bis 28sten Juli
1808) drei Sultane — Selim III., Mustapha IV.
und endlich Mahmud II. — gesehen; noch
wankte der Scepter in des letztern Hand, mit
Mühe ging er geborgen aus einer Revolution
hervor, die seinem kühnen Freunde, dem hochherzigen Mustapha Bairaktar, das Leben
gekostet hatte, und der neue Sultan hatte
wahrlich genug zu thun, die Ruhe im Innern
seines Staates zu befestigen; wie hätte er an
einen neuen Eroberungskrieg, an einen Einfall ins Land des feindlich gesinnten nächsten
Nachbars denken können und mögen? —

Welche Verpflichtungen gegen die Türken
legten demnach jene Momente dem östreichischen Kabinette auf, einem Kabinette, das
übertriebener und ängstlicher politischer Gewis-
senhaftigkeit halber gerade nie verrufen war?

Eine gegründetere Besorgniß bleibt das
mit Recht sehr zu befürchtende Umsichgreifen
der Russen auf einem gewissen Punkte; allein

daß jene systematische Indolenz des östreichischen
Kabinets jenes Uebel noch eher müsse fördern
helfen, liegt so nahe und klar am Tage, daß
man es für vergebliche Mühe halten würde,
hier noch Beweise zu führen. Und wie —
man frägt jeden Unbefangenen, der seiner
fünf Sinne mächtig — wie könnte es wohl östreichischer Botmäßigkeit unterworfene Griechen
zum Aufstand reizen, wenn ihr Monarch den
bedrängten Landsleuten im Oriente zu Hülfe
eilte? — die östreichischen Griechen sind ja
nicht, wie dort ihre unglücklichen Brüder, un-
terdrückte Sklaven, sie genießen ja gleiche Un-
terthansrechte mit den übrigen Glaubensgenossen, und gerade wenn ihnen ein höherer
und älterer schöner Nationalsinn beiwohnt, so
würde das zu wünschende Ereigniß das Band
fester ziehen, welches sie an einen gütigen, gerechten und toleranten Landesherrn bindet.

Was nun aber die allerletzte Hauptbedenk-
lichkeit betrifft, so werde ich, weil ich sie wich-
tig achte, hiermit eine eigene wohl durchbachte
Kriegskünstlerische Abhandlung abdrucken lassen, welche dem Verständigen sich

im gegenwärtigen Augenblicke nothwendiger=
weise als interessant darstellen muß, und von.
der ich hoffen kann, daß kein ächter Kenner
sie als nutzlose Hypothesenjagd über=
sehen wird.

Taktisch = strategischer Beweis, daß ein von
den Oestreichern und Russen gemeinschaft=
lich geführter ernster Krieg nothwendiger=
weise das Ende des Reiches der Osmanen
herbeiführen müsse; in Form eines
Operationsplanes dargestellt.

Der k. k. östreichische Generalissimus, der hoch=
berühmte Fürst Raimund Montecuculi —
geb. 1608 zu Modena, gestorb. zu Linz 1681 —
führt in seinen unschätzbaren besondern und
geheimen Kriegsnachrichten mehrere alte Au=
toren an, welche über die Vertreibung der
Türken aus Europa mit Umsicht geschrieben
haben. Da ich mit Recht voraussetzen darf,

daß die interessanten militärischen Memoiren
des F. Montecuculi (welche so viele unserer
Zeit weit übertreffen) keinem jener Leser, für
welche der folgende Aufsatz entworfen ist, un=
bekannt geblieben sein können, so rücke ich
ohne Weiteres meinem eigentlichen Ziele näher.

Merkwürdig erscheint in der einmal in An=
regung gebrachten Angelegenheit Monte=
cuculis eigene Ueberzeugung, welche wir
als Vorderfatz vorzüglich zu berücksichtigen
ersuchen. Der Fürst erklärte nämlich:

„Gleichwie die einfachsten Mittel gewöhn=
„lich die besten und der Verwirrung am we=
„nigsten unterworfen sind, also ist der Kaiser,
„wenn ihm nur Polen zu Lande und
„Italien zu Wasser beisteht, allein (!!)
„stark genug, den Türken mit Krieg zu über=
„ziehen, ohne daß das Reich dabei etwas zu
„thun von nöthen hat, als die kaiserlichen Län=
„der von hinten zu in Sicherheit zu setzen."

Ich bin kühn genug zu behaupten, und
hoffe es auch genügend zu erweisen, daß der
in dieser Hinsicht von Montecuculi vor
200 Jahren entworfene Plan, mit Modifi=

kationen, welche das spätere Zeitalter bedingt,
auch jetzt noch der vernünftigste und ausführ-
barste bleibe.

Bei einer Vertreibung der Türken aus
Europa käme es allerdings Oestreich zu,
die wichtigste Rolle zu spielen und die größten Anstrengungen zu machen. An die Stelle
Polens tritt Rußland mit einem großen
Theile seiner Macht; dasjenige, was M. unter dem Reiche verstand, wäre Baiern.
Jetzt im Besitze eines großen Theiles von
Italien, könnte sich Oestreich von dort-
her selbst zu Wasser beistehen, in sofern dieses
seine freilich nicht sehr bedeutende Marine
möglich machte.

Montecuculi hat viel über die Art
geschrieben, in welcher ein solcher Offensivkrieg
gegen die Pforte in jeder Hinsicht am zweckmäßigsten geführt werden könnte. Seine
sämmtlichen Sätze verrathen den ausgelernten
Meister, aber seit M. schrieb, haben sich die
politischen Verhältnisse und geographischen Grenzen der Staaten, von denen hier die Rede ist,

zu sehr verändert, die Kriegskunst hat zu mäch=
tige Fortschritte gemacht, als daß Montecuculis
Operationsplan in allen seinen Thei=
len jetzt noch mit Erfolg angewendet werden
könnte; nichts destoweniger bin ich fest über=
zeugt, daß ein neu zu entwerfender Ope=
rationsplan nur dann gut und zweckmäßig
ausfallen könnte, wenn er im Geiste jenes
unsterblichen Feldherrn ausgearbeitet wäre. Ich
werde es versuchen, einen solchen Giganten=
plan — zu skizziren, indem ich aber unauf=
hörlich des großen Raimunds Genius
zu verfolgen mich bestreben werde.

Fürst M. war der Meinung, man müsse
sich zu jedem Kriege, besonders aber zu einem
mit der Pforte, lange zuvor rüsten; nun ist
es zwar freilich wahr, daß Philipp v. Mace=
donien seinen Krieg gegen die Perser zwei
Jahre lang vorbereitet, daß in neuern Zeiten
Heinrich IV., Ludwig XIV. und andere
große Fürsten und Feldherren, viele Zeit rau=
bende Anstalten ihren Kriegen vorangehen lie=
ßen; allein hätten diese Herren im neunzehn=
ten Jahrhundert gelebt, sie würden anders

gehandelt, und M., als unfer Zeitgenoſſe, anders geſchrieben haben.

Waren lange Rüſtungen einſt hohe Weisheit, ſo ſind ſie dagegen nun größtentheils — reine Thorheit. Nach den Grundſätzen der heutigen Kriegskunſt müſſen Rüſtung und Aufbruch einander unmittelbar die Hand reichen, und ſie können es auch nach der Organiſation der ſtehenden Heere unſerer Zeit und nach Einführung des militäriſchen Simplifikationsſyſtems in den Bedürfniſſen der Heere.

Gerade ein halb wildes Volk, wie die Türken, müßte ſo ſchnell von allen Seiten angegriffen werden, als nur möglich.

Was die Rüſtungen ſelbſt betrifft, ſo wäre unſerer Meinung nach eine ungewöhnlich ſtarke Artillerie = Armee zu empfehlen, da, nach der neueſten und erprobteſten Art Krieg zu führen, gerade dieſe Waffengattung es iſt, welche am wirkſamſten entſcheidet, und einem Volke um ſo fürchterlicher ſein muß, welches gerade in dieſem Theile der Kriegskunſt gegen

die civilifirten Europäer noch am weitesten
zurück ist.

Bekanntlich ist des Türken gefürchtetste
Waffengattung seine Reiterei. M. widerrathet
mit Recht, gegen diese Reiterei wenig leichte
Kavallerie aufzustellen, und empfiehlt vor=
zugsweise den Gebrauch Kroatischer und Un=
garischer Regimenter, welche die Ordre erhal=
ten müßten: den fliehenden Feind zu
verfolgen und vor dem angreifen=
den Feind zu fliehen. Wie sonderbar
dieses auch lauten mag, schon Ambiorix
erprobte die Zweckmäßigkeit einer solchen Maaß=
regel gegen eine an Gewandtheit und Stärke
überlegene Reiterei, und Wallenstein ahmte
diese Taktik viele Jahrhunderte später noch mit
Frucht nach.

M. behauptet: „Unter allem Gewehre, des=
sen man sich zu Pferde bedient, ist die Lanze
das beste, sie muß aber stark und wohlbe=
schlagen, und der Lanzier stark und ganz (we=
nigstens Brust und Rücken bemerken wir) ge=
harnischt sein, dabei gute Pferde und einen
ebnen, festen und wegsamen Grund haben.

Verhält sich alles auf diese Art, so theilt man
denselben in kleine Schwadronen, worauf sie
denn im Galopp auf den Feind losgehen, und
einen Weg eröffnen, wodurch die eigentliche
schwere Reiterei, welche jenen im Trabe nach=
folgt, alsdann ebenfalls eindringen und ein gro=
ßes Gemetzel anrichten kann. Wenn hingegen
die Lanze die bemerkten Eigenschaften nicht hat,
oder der Mann, das Pferd und der Boden
nicht also beschaffen, wie angegeben, und mithin
der Heftigkeit des Anrennens und des Angrif=
fes nicht förderlich sind, so ist die Lanze
zu nichts nütze. Angesehen, sich der Feind,
wenn er sie anrücken sieht, alsofort öffnet,
und der Spitze des Angriffes aus dem Wege
weicht, darauf aber die Lanzenreiter umzin=
gelt, und solche niederhaut, wie es der Schwe=
denkönig Gustaph Adolph in den letztern
Kriegen wider die Polen machte; die schwe=
ren Unkosten, die man auf die Lanze wenden
muß, und daß man solche, außer einer ordent=
lichen Feldschlacht, wenig gebrauchen kann,
haben die Veranlassung gegeben, daß man
dieselbe bei unsern Armeen beinahe ganz und

gar hat fahren laſſen. Die Polen hingegen
bedienen ſich derſelben noch beſtändig; allein
ſie theilen ſolche, bei einem Treffen in kleine
Haufen von 25 oder 30 Pferden. Wer nun
alſo deren ungefähr 1000 hätte, müßte 30
oder 40 kleine Schwadronen daraus machen,
und wenn dieſe mit Nachdruck angeführt, und
durch die Küraſſiere ſecundirt würden, ſo könnten
ſie ſehr viel ausrichten.”

Die Maaßregeln, welche M. hier gegen
die ſo ſehr gefürchtete türkiſche Reiterei in
Anregung gebracht hat, ſo wie der Gebrauch
der Lanze nach ſeiner Angabe, vertragen ſich
nach unſerer Anſicht ganz mit der heutigen
kunſtreichen Art Krieg zu führen. Ein großer Uebelſtand unſerer neuern Kriegskunſt iſt
es gewiß, daß ſie ihre Lanzenreiter lediglich
als leichte Kavallerie bewaffnet, betrachtet und
nützt; denn wie wir gerade mit Montecuculis Worten dargethan haben, ſo iſt ſie
als ſolche in der That eine ſehr unzuverläſſige
und unzweckmäßige Waffengattung, denn, um
unſern Satz anzufechten, wird uns hoffentlich

fein gelehrter und erfahrener Militär die
Kosaken nennen wollen.

Man las einmal in öffentlichen Blättern,
daß bei der baierschen Armee, auf Anrathen
des Feldmarschalls Fürst Wrede, ein Theil
der Kürassiere schwere durchaus beschlagene
Panzen erhalten sollten; es scheint also,
daß dieser kluge Feldherr, der es bewiesen
hat, wie sehr vertraut er mit der neuesten
Art Krieg zu führen ist, überzeugt sein muß,
daß die Montecuculi'sche Lanze auch
in unserer Zeit eine furchtbare und zweckmäßige Waffe sein könne.

Nach Vorausschickung dieser beiläufigen
Notizen will ich mich nun an die Skizzirung
eines Operationsplanes gegen die Türken
wagen.

Eigentlich zwar müßte Oestreich sich in
der Verfassung befinden, mit einer Flotte aus
dem Adriatischen Meere auslaufen, um zuerst
der Türkei auch zu Wasser den Krieg machen
zu können; hiervon aber will man hier sogleich
gänzlich Umgang nehmen, denn einmal hat
Oestreich bis jetzt keine Seemacht von Belang,

und mit einer kleinen Kriegsflotte, ohne ge=
übte Seesoldaten und Matrosen wäre hier
nicht zu beginnen. Ferner bleibt es in der
Kriegskunst, je größer und wichtiger das Ob=
jekt ist, welches wir bekriegen, ein um so un=
verzeihlicher und folgenreicherer Fehler, wenn
wir unsere Kräfte zu sehr vereinzelnen, was
bei doppelten Ausrüstungen zu Land und
zu Wasser häufig genug geschieht.

Ich lebe der festen Ueberzeugung, daß
Constantinopel und somit die ganze Eu=
ropäische Türkei fallen könnte, ohne zu Wasser
angegriffen zu werden. Die Geschichte lehrt
uns übrigens auch, daß Angriffe auf Constan=
tinopel zu Wasser selten, ja eigentlich nur
einmal vollkommen gelangen.

Nach meinem Plane müßte die Türkei zu
Lande von zwei Seiten zugleich, und zwar
von Oestreich in der Fronte, von Rußland
aber in der linken Flanke angegriffen werden.

Jede Macht müßte zwei Armeen, nämlich
eine Operations = und dann eine ganz unge=
wöhnlich starke Reserve = Armee in's Feld
stellen.

Die Basis, von welcher aus Oestreich zu operiren hätte, wäre seine Grenze an der Türkei, ihrer ganzen Länge nach.

Der rechte Flügel dieser Linie lehnte sich an Dalmatien, der linke an die russische Grenze.

Man spotte nicht zu früh über diese auffallende Extension; um mit Sicherheit und Nachdruck agiren zu können, wäre sie nöthig, und die Herstellung derselben nicht aus dem Bereiche der Möglichkeit.

Die ungarische Nation müßte in Masse aufstehen, um ihre Grenzen zu decken; sie könnte und würde dieses thun, denn wenn der Hauptcoup gelänge, würde der ganze Krieg nicht lange dauern *).

Es müßten Maaßregeln getroffen werden, daß an der Grenze schnell Mannschaften von

---

*) Alle gebildete Ungarn, mit welchen ich Gelegenheit hatte, mich zu unterhalten, fand ich für die Sache der Neugriechen eingenommen, wie denn der feurige, freiheitsliebende Ungar überhaupt sich leicht für Großartiges entzündet. Mehrere, welche das Terrain genau kannten, fanden meine Ideen durchaus mit den Rücksichten, welche dasselbe bedingt, vereinbar.

einem Orte zum andern, wo es die Noth er-
forderte, auf Wagen zugefahren würden.

Vielleicht wäre die Errichtung einer fahren-
den Infanterie, in der Art, wie sie die Eng-
länder an ihren Küsten errichteten, als sie
französische Landungen befürchteten, sehr zweckmäßig.

Belgrad wäre der Hauptwaffenplatz der
östreichischen Armee und der Punkt, von welchem aus, wenigstens zu Anfange des Feld-
zuges, alle ihre Hauptoperationen geleitet werden müßten.

Reichhaltige Magazine *) und Waffen-
plätze wären ferner anzulegen in Rackers-
burg, Fünfkirchen, Temeswar, Pe-
terwardein, Carlsburg, Klausen-
burg und an mehrern andern hierzu geschick-
ten Orten.

Bender wäre der Hauptwaffenplatz der
Russen, Ismail aber der Punkt, von dem

---

*) Im Geiste der neuern Kriegssysteme, ohne im
Rücken Magazine zu haben, hier operiren zu
wollen, würde den alliirten Mächten sicher Verderben bereiten.

12

aus sie ihre Operationen im Allgemeinen zu= erst zu leiten hätten.

Der rechte Flügel der russischen Haupt= stellung müßte ungefähr in der Gegend von Schernowetz seine Kommunikation mit dem linken Flügel der östreichischen Armee herstel= len, der linke Flügel der Russen aber an das schwarze Meer sich lehnen.

Widdin wäre das erste Objekt, nach welchem man, sowohl von der östreichischen als russischen Grundlinie aus, zu streben hätte, Constantinopel selbst aber das zweite. Montecuculi sagte:

„Den Krieg gegen die Türken könnte man an keinem Orte vortheilhafter, als längs der Donau führen. Man kann nämlich die Maschinen, Artillerie, den Proviant und den Kriegsvorrath da leicht zu Wasser hin= unter schaffen. Auch ist es eine allgemeine Regel, daß man sich der Flüsse, und besonders der großen, bemeistern soll. Dadurch be= deckt man die Erblande, man vollstreckt die Anschläge, und mit einer guten Kommuni= kations = Linie von einem Ort zu dem andern

und ohne etwas zu überhüpfen, ist man im
Stande, sich der Galeeren und Barquen,
welche die Kriegsverrichtungen zu Wasser be=
fördern, mit besonderm Nutzen zu bedienen;
vermittelst der Brücken, Fahrzeuge, platten
Schiffe und Flosse kann man nach eigenem
Gefallen auf einer oder der andern Seite des
Flusses stehen. Dieses ist zu der Armee Si=
cherheit sehr gut, damit man desto mehr Füt=
terung haben, und um so viel besser im
Stande sein möge, die Anschläge nach Belie=
ben zu erwählen. Der Krieg kann auf solche
Art überhaupt mit wenigern Kosten geführt
werden.

Die Saw und die Draw fließen eben=
falls gegen Morgen, und daher ist uns das
Wasser zur Zufuhr der benöthigten Sachen
beförderlich; dem Türken hingegen zuwider."

Alle diese Vortheile würde die östreichische
Operationsarmee bei ihrem Vordringen aus
ihrer Basis längs der Donau nach Wid=
din hier genießen; allein dann freilich könnte
nach meinem eigenthümlichen Operationsplane
die Donau keinen fernern Vortheil gewähren,

12 *

weil mein Plan, nach der Wegnahme Wid=
bins und nach hergestellter Kommunikation
mit der russischen Operationsarmee, ein unbe=
dingtes energisches Vordringen auf dem ge=
raden Wege nach Constantinopel über
Sophia und Philippopolis bedingt.

Von nun stellt sich uns Widdin als
Hauptwaffenplatz der vereinigten Armeen, von
dem aus alle Bewegungen geleitet, und mit
welchem die sorgfältigste Kommunikation er=
halten werden müßte, dar, so wie die Ver=
bindung Widdins mit Belgrad mit einer
zweckmäßigen Aengstlichkeit erhalten werden
müßte.

Mein Operationsplan theilt auch eine ge=
wisse Art Analogität mit jenem, nach welchem
Napoleon im Jahre 1812 in Rußland
agirte. So wie jetzt Ungarn, bildete dort
Polen die erste Basis; das erste Objekt,
auf welches man hinwirkte, war Smolensk,
das zweite Moskwa. Man sage, was man
wolle, auch jener Operationsplan war an und
für sich vortrefflich, und hätte Napoleon
nur jene bedeutenden Vorsichtsmaßregeln, welche

Montecuculi so angelegentlich empfiehlt, nicht gänzlich außer Acht gelassen, nie hätte ein rauher Winter seine Heere zerstört. Auf Originalität indeß vermag der angeregte Na= poleonische Operationsplan durchaus keinen Anspruch zu machen; Karl XII. kriegte hun= ~~dert Jahre~~ früher ganz nach denselben Grund= sätzen, denn auch er schlug bei Smolensk Peters Schaaren, und als dieser große Fürst ihm den Frieden anbot, lautete die Antwort: „In Moskwa werde ich ihn diktiren!"

Wäre der zwölfte Karl seinem ersten Plane treu geblieben, und hätte er sich nicht verleiten lassen, zuerst nach der Ukraine zu marschiren, so wäre Peter der Große in eine mißliche Lage gerathen, und der Schwe= denkönig weder bei Pultawa noch ander= wärts in diesem Feldzuge geschlagen worden.

Was aber mein Operationsplan gegen die Osmanen vor jenem angeregten gegen Ruß= land zuvor hat, ist der wichtige Umstand, daß auf das erste Objekt aus zwei verschiedenen Grundlinien, nämlich aus der östreichischen und russischen, in einem möglichst stum=

pfen Winkel hingewirkt wird, während
N. bekanntlich und zu seinem größten Nach=
theile ·in einem spitzen Dreiecke
operirte.

Nun ist es Zeit, von der Art zu sprechen,
in welcher die russische Operationsarmee wir=
ken müßte.

Sie würde, wie schon oben bemerkt, von
Ismail aus in die Türkei eindringen, und
immer die Ufer der Donau fest haltend, ihren
Marsch gegen Widdin hin fortsetzen. Da
sie gegen die Strömung des Flusses
sich bewegte, so gingen ihr freilich einige von
den wesentlichsten Vortheilen verloren, welche
Montecuculi sehr richtig den Armeen ver=
spricht, welche ihre Bewegungen stromab=
wärts leiten; nichts destoweniger würde sie
sich durch diese Art ihres Marsches sehr be=
günstigt sehen.

Es versteht sich am Rande, daß sowohl die
russische als auch die östreichische Operations=
armee — nothwendigerweise muß man es wieder=
holen — sehr stark sein müßte, weil ihre Tendenz
bliebe — die Türken zu forciren.

Die festen Plätze der Türken an der Donau
müßten die Russen im ersten Augenblick zu
überrumpeln suchen; wenn aber dieses nicht
gelänge, solche ohne weiteres umgehen, da der
Hauptzweck dieser Operationsarmee stets wäre:
rasch vorwärts zu dringen, und die Kommunikation mit der von Belgrab vordringenden
östreichischen Operationsarmee zu gewinnen.

Nichts destoweniger müßte aber die russische Armee die von Constantinopel an-
dringenden Türken durch Scheinerpeditionen
unaufhörlich zu trügen suchen, so daß der
Feldherr der Osmanen stets über seines Fein-
des wahre Absicht in Zweifel stände, und
schwer zu einem festen Entschlusse gelangen
könnte, ob er seine Hauptmacht gegen Widdin den Oestreichern entgegen führen,
oder aber das Vordringen der Russen zu verhindern suchen sollte.

Ein Meisterstück des russischen Feldherrn
wäre es, wenn er die Türken von sich abzu-
lenken, und sie künstlich zu disponiren ver-
stände, sich gegen Widdin zu wenden; denn
da das russische Heer auf einer Diagonale

marschirt, so wären in diesem Falle die Tür=
ken eo ipso überflügelt, könnten von den
Oestreichern in der Fronte angegriffen, von
den Russen aber in die rechte Flanke genom=
men und im Rücken bedroht werden, und das
erste türkische Hauptheer müßte in diesem
Falle nothwendigerweise zu Grunde gehen.
Von keinem menschlichen Plane läßt sich das
Gelingen mit voller Bestimmtheit behaupten,
und es könnten demnach auch hier Umstände
eintreten, welche die Sache mächtig verändern
dürften.

So könnte z. B. die östreichische Ope=
rationsarmee Widdin glücklich wegnehmen,
ohne daß es den Russen dagegen gelungen
wäre, sich mit jener vereinigt zu haben. In
diesem Falle möchte es am gerathensten sein, von
östreichischer Seite den einmal feststehenden Plan
zu verfolgen, und geraden Weges nach Sophia
vorzudringen; der russische Feldherr aber müßte
nun natürlicherweise seinen Marschkolonnen und
über ʰauptigen Operationen eine veränderte Di=
rektion geben, und auf eine anderweitige Her=
stellung der Kommunikation hinarbeiten.

So könnte nun S o p h i a selbst der Punkt
werden, in welchem man sich bequem vereini=
gen könnte. Wenn z. B. die Russen in der
Gegend von N i k o p o l i sich links von der
D o n a u ab und gegen S o p h i a hinwendeten,
so bildeten die Marschdirektionen der Oestrei=
cher von W i d d i n nach S o p h i a, und jene
angegebene der Russen von der D o n a u
her wieder einen stumpfen Winkel.

Doch genug — einen sublimen Operations=
plan, in allen nöthigen Details ausgearbeitet,
zu liefern, konnte hier unmöglich meine Ab=
sicht bleiben; doch werden die kühnen wenigen
Grundzüge vielleicht hinreichen, in manchem
sinnigen Leser die Ueberzeugung zu bestärken,
daß die Verjagung der T ü r k e n aus
E u r o p a o h n e S e e m a c h t, dem ver=
einigten Oestreich und Rußland ge=
lingen könnte und müßte.

N a c h w o r t.

Bereits im Jahre 1818, als Niemand
ahnete, welche hochwichtige Ereignisse in der
allernächsten Zukunft die allgemeine Aufmerk=

famkeit nach dem Orient lenken würden, hatte
ich die vorstehende kriegskünstleri=
sche Skizze entworfen.

Nachdem ich im Jahre 1822 zu Wien
zufällig die Bekanntschaft eines sehr geistrei=
chen Mannes gemacht hatte, der in den jüng=
sten deutschen Befreiungskriegen als russischer
Oberoffizier einer höhern Potenz — überwie=
gende Rücksichten müssen mich abhalten, hier
seinen Namen zu nennen — mit Auszeichnung
gedient und sich einen allgemeinen ehrenvollen
Ruf erworben, kam ich auf den Einfall, je=
nem gewiß kompetenten Richter meine Arbeit
vom Jahre 1818 vorzuzeigen. Der Aufsatz
fand höhere Aufmerksamkeit, als ich je zu
hoffen gewagt hatte; der ehemalige russische
Führer gab mir sinnige und bedeutende Fin=
gerzeige, nach welchen ich meine kriegskünstle=
rische Skizze — umarbeitete, und der würdige
Mann selbst munterte mich auf, den Aufsatz in
seiner neuen Gestalt abdrucken zu lassen. Ich
verhehlte nicht, wie ich durchaus in Be=
folgung dieses Rathes keinen ei=
gentlichen Zweck erschauen könne,

allein der ehemals bedeutende Mann sagte
mir:

„Sie arbeiten schon dadurch allerdings auf
einen hehren Zweck hin, indem Sie dazu bei=
tragen, eine ausgemachte auf sich selbst
dastehende Wahrheit mehr anzuregen
und zu verbreiten, denn gerade solche gemein=
nützige Unternehmen bestimmen die Ansichten
der Nachwelt, und weisen ihr den Stand=
punkt an, von welchem aus sie das Handeln
der Altvordern richtig zu würdigen wissen
wird.“

Weit entfernt, meiner Arbeit einen solchen
ausgezeichneten Werth zuzutrauen, und wirk=
lich zu glauben, sie könnte in irgend einer
Zeit solche Resultate motiviren, so glaubte ich
doch, aus Achtung für den dringenden Rath
meines vornehmen edlen Freundes, demselben
folgen und dieses kleine Memoire der Presse
übergeben zu müssen; doch bitte ich kompe=
tente Kunstrichter noch einmal und dringend,
es lediglich als Skizze würdigen zu wollen.

Wien.

Ein historisch = physiognomisch = topographisch = statisti=
sches Gemälde, als par précipité ausgeführt.

Den eignen Weg mit Zuversicht zu gehen,
Mit eignen, hellen Augen nur zu sehen,
Dies führt allein ersprießlich uns zum Ziel!
Ein andres Streben bleibet — Kinderspiel.

* * *

Beim Durchstudiren aller über Wien vor=
handenen Topographien u. dgl. drang sich mir
gleich anfangs eine seltsame, aber nichts desto=
weniger richtige Bemerkung auf: die Topo=
graphen weichen mit ihren Nachrichten über
keine andere große deutsche Stadt, so auffal=
lend von einander ab, als hinsichtlich Wiens,
und selbst sein bester Topograph irrt zuweilen
eben so unbegreiflich, als die übrigen; einer

200

ſtrebt ben andern zu verbeſſern bis herab zum
Verfaſſer der Notiz in unſerm gemeinnützigen
Converſationslexifon, allein gänzliche Verläß-
lichkeit erreichte bisher Keiner, wovon ſich jeder
ſinnige Reiſende, der die verſchiedenen Angaben an Ort und Stelle mit Fleiß und Ruhe
vergleicht, bald genug ſelbſt überzeugen wird.

Topographie und Statiſtik ſind meine Lieb-
lingsfächer, und ich pflege bei meinen Forſchun-
gen einen neuen und eigenthümlichen, allein
wie ich mir ſchmeichle, richtigen Weg zu
verfolgen, und auch zu Wien blieb ich dem
gewohnten Pfade treu.

Meiner Mühen Ausbeute war ein im
Detail ausgearbeiteter Plan zu einer ganz
neuen, vollſtändigen, nach einem andern Sy-
ſteme durchgeführten Topographie von Wien,
welchen ich dem Herrn Wallishauſer, einem in der That ſehr wackern, kenntnißrei-
chen und einſichtsvollen Buchhändler, vorlegte.

Herr W. billigte meinen Plan in allen ſeinen Theilen und munterte mich auf eine eben
ſo freundſchaftliche als ſchmeichelhafte Weiſe

auf, das Werk selbst für seinen Verlag aus-
zuarbeiten.

Wenn nun schon meine anderweitigen Verhältnisse und literarischen Verpflichtungen mir
nicht erlaubten, in den gütigen Vorschlag des
Herrn W. einzugehen, so setzen mich nun doch
jene Vorarbeiten in den Stand, dem solidern
Theile meines Lesepublikums durch den Meister Fuchs, eine, wie ich hoffe, nicht unin-
teressante historisch = topographisch = statistische
Skizze Wiens zu überreichen. Leid bleibt
mir übrigens, daß Mangel an Raum und
der ursprüngliche Plan des gegenwärtigen Wer-
kes mich nothwendigerweise bestimmen mußten,
das zu entwerfende Gemälde als pas précipité
auszuführen; lieber hätte ich mich bei dieser
Arbeit freilich einer gedehntern, aber mehr
systematischen Form überlassen, wenn ich auch
nur der wenigern Leser Dank zu verdienen
hätte hoffen dürfen.

* * *

Unsere neuern modernen Topographen pflegen jetzt immer mehr und mehr den geschicht-
lichen Theil der zu würdigenden Objekte un-

gemein nachläffig zu behandeln, und ihm höch=
ftens einen mangelhaften Anhang einzu=
räumen. Die Herren laffen fich hierfalls, nach
meiner Ueberzeugung, von einer fehr falfchen
Anficht leiten; denn wollen wir mit irgend
Jemanden in Unterhaltung oder Gefchäftsver=
bindung treten, fo bleibt es uns gleich ange=
nehm als nützlich, zuerft von den frühern
Schicffalen und Verhältniffen des Jemands
unterrichtet zu fein, daher ich am zweckmäßig=
ften mein Gemälde Wiens mit einem leifen
gefchichtlichen Umriffe zu beginnen glauben
kann.

Schon lange vorher, ehe Romas Legionen
zum erftenmale bis an die Ufer der Donau vor=
rückten, foll fich an der Stelle Wiens eine
wenn auch unbedeutende wendifche Niederlaf=
fung befunden haben, welche die Eroberer
Bindobona nannten.

Die Lage des Ortes erfchien den Römern
in militärifcher Hinficht vortheilhaft, fie fetzten
fich demnach hier feft, indem fie ein fogenann=
tes castrum stativum errichteten, welches eine
Doppellegion zur Befatzung erhielt.

. Unter dem Kaiser Gallienus überschritten die Markomannen die Donau,
und eroberten mit ganz Ober = Pannonien
auch Bindobona, woraus sie aber durch Kaiser Probus bald wieder verdrängt wurden.

Im Laufe des fünften Jahrhunderts kam
ganz Pannonien an einen gothischen Völker-
stamm, die Rugier, welche das ehemalige
römische Castrum, mit dem nun schon eine
Art Stadt verbunden gewesen zu sein scheint,
Faviana nannten, diese Benennung aber
wandelte sich, wahrscheinlich der Kürze halber,
bald in Viana oder Biena um, wovon
allerdings das Wort Wien herstammen mag.

Später fiel das Biena der Rügen den
barbarischen Hunnen in die Hände, welche
erst gegen das Ende des achten Jahrhunderts
durch Karl den Großen verjagt wurden.

Jeder gebildete Leser kennt ohnehin die Art
und Weise, in welcher dieser hochmerkwürdige
Fürst gegen eroberte Länder zu verfahren pflegte,
und er blieb seinem Systeme auch jetzt treu;
das heutige Oestreich wurde eine Markgraf-

ſchaft, die chriſtliche Religion wurde eifrig verbreitet, die möglichſte Kultur hergeſtellt.

Die Geſchichte nennt einen Leopold
von Babenberg (Bamberg), der um
das Jahr 985 als Markgraf mit erblicher
Würde in Oeſtreich Statt hielt.

Nichts Erhebliches weiß Elio nun, in Betreff Wiens, zu melden, bis auf den Markgrafen Heinrich II., der 1141 erſt die Regierung antrat; allein ſchon bedeutender ſtellt
ſich dieſe Periode dar. Der zweite Heinrich vergrößerte die Stadt, erbaute zum er-
ſtenmale die Stephanskirche und eine Burg
in Wien ſelbſt, (bisher hatten die Markgrafen zu Mödling, und dann auf dem Kah-
lenberg reſidirt), und ſtiftete das Kloſter der
Schotten; das Land ob der Enns wurde mit
jenem unter der Enns vereinigt, und Heinrich hieß der erſte Herzog von Ober-
und Niederöſtreich.

Noch mehr in Aufnahme kam Wien unter Herzog Leopold VII. (1198); es erhielt
eine neue Burg, die Michaeliskirche, einen

Magistrat, dann förmliche Handels- und Sta=
pelgerechtigkeit.

Dagegen fühlten Land und Stadt in der
ersten Hälfte des dreizehnten Jahrhunderts
die Greuel innerlichen Zwiespalts; Herzog
Friedrich II. regierte um diese Zeit. Ge=
gen ihn bildete sich ein förmlicher Aufruhr,
das Land forderte vom Kaiser Friedrich II.
einen andern Regenten; dieser willfahrte, er=
klärte Wien für eine Reichsstadt und ver=
fügte über den Herzog die Acht; allein dieser
wußte (1240) sich seiner Provinzen und der
Residenzstadt mit Gewalt wieder zu bemäch=
tigen.

Das Haus der Babenberger erlosch
mit Herzog Friedrich, und nur Oestreich
war offenes Reichslehen.

Jetzt suchte sich der Pabst (Innocenz IV.)
eifrig in die Sache zu mischen, allein alle seine
feinen Intriguen scheiterten, und Oestreich blieb
bis 1251 ein herrenloses Land. Zwar wollten
die Stände nun selbst zur Wahl eines Re=
genten schreiten, allein durch Bestechungen
und Schmeicheleien gelang es dem König

Wenzel von Böhmen, ihnen seinen Sohn
Ottokar als solchen aufzubringen.

Der hohe Rudolph von Habsburg
sah sich inzwischen mit der deutschen Kaiser-
krone geschmückt, und ihm mußte Ottokar
(1276) weichen. Rudolph belehnte seinen
Sohn Albert I. mit dem Herzogthum
Oestreich, und das Geschlecht Habs-
burg-glänzte von nun an auf diesem Throne.

Auch gegen diesen ihren neuen Regenten
empörten sich die Wiener wieder, allein sie er-
lagen, und der erste Albert nahm Gelegenheit hiervon, eine uneingeschränktere Souveränität seiner Dynastie zu begründen.

Unter dem Herzoge und Kaiser Friedrich III. empörten sich die unruhigen Wiener
zum drittenmale, allein auch dieser Aufruhr
blieb zwecklos, weil dem Kaiser aus Böhmen
ein Heer zu Hülfe geeilt war.

Im Jahre 1484 fiel Mathias Corvinus, Ungarns König, plötzlich in Oestreich
ein, eroberte Land und Residenzstadt, hauste
dort — als Sieger, starb aber zu Wien bereits im Jahre 1490.

13 *

Friedrichs Sohn, Maximilian, der neu erwählte römische Kaiser und rechtmäßige Prätendent des Herzogthums Oestreich, nahm den günstigen Augenblick wahr, sammelte schnell in Schwaben ein Heer und zog vor Wiens Mauern. Die Bürger öffneten ihm, nachdem die Ungarn geflohen waren, die Thore.

Maximilian war der erste, welcher sich den Titel: Erzherzog von Oestreich beilegte; er starb 1519 und hinterließ das Herzogthum seinem Enkel Ferdinand, der aber erst 1522 nach Wien kam und die dort unterbrochene Ordnung wieder herstellte. Diesem Ferdinand fiel auf eine rechtmäßige Weise und zwar durch Erbschaft die Krone Ungarns (1526) anheim; allein ob er auch in der That zu Preßburg feierlichst gekrönt worden war, so wählte nichts destoweniger ein Theil mißvergnügter Magnaten den Siebenbürgischen Fürsten Zapolya zum Könige, der, da er sich selbst zu schwach fühlte, diese Würde zu behaupten, sich den Osmanen in die Arme warf.

Offene Ohren und thätige Hülfe konnte
in Stambul dazumal mit Recht zu finden
hoffen, wer gegen Oestreich klagte. Angeblich
Zapolya's Rechte zu vertheidigen, fiel der
furchtbare Soliman an der Spitze eines
Heeres von 300,000 Köpfen in Ungarn ein;
ohne große Mühe drang er rasch vorwärts,
und bald genug sahen Wiens Mauern den
halben Mond.

Die Mittel, welche Ferbinanden zur
Vertheidigung seiner Haupt = und Residenz=
stadt zu Gebote standen, waren in jeder Hin=
sicht sehr beschränkt; nichts destoweniger wur=
den alle Stürme der Belagerer muthig und
glücklich abgeschlagen und die Osmanen muß=
ten unverrichteter Sache wieder abziehen.

Nach Ferbinands Tode wechselten
Max II., Rudolph II. und Mathias,
sämmtlich deutsche Kaiser, auf dem östreichi=
schen Throne, und ihnen folgte endlich der in
der Geschichte wohlbekannte Ferbinand II.

Die Leidenschaftlichkeit, mit welcher dieser
letztere Regent in seinem Staate die Protestan=

ten verfolgte, hätte Wien balb ein trauriges
Loos bereitet.

Ein Heer protestantischer Böhmen, unter
dem Grafen Mathias von Thurn, zog
unter dem Vorwande, ben unterbrückten Glau=
bensgenossen beizustehen, vor bie Mauern der
Stadt; worauf im Innern berselben Aufruhr
ausbrach. Die protestantischen Einwohner bran=
gen ungestüm genug in bie Gemächer Fer=
binands, unb bieser sah sich hart bebrängt,
als, wie ein deus ex machina, plötzlich 500
seiner Reiter, bie sich burch List selbst in bie
Stadt geschwärzt hatten, auf dem Burgplatze
erschienen und laut ihre Trommeten schmet=
tern ließen. Dieser Zufall wandelte schnell bie
Lage der Dinge um; bie Aufrührer mußten
zu Kreuze kriechen, Mathias mit seinen Böh=
men aber zog ab.

Im Jahre 1622, als bereits Leopold I.
herrschte, wurde die sämmtliche Judenschaft
aus Wien verjagt, und das war gut! —
Die Judenstabt hieß von nun an Leo=
polbstabt.

Eine furchtbare Pest raffte im Jahre 1674

die Hälfte der Bevölkerung Wien s dahin, und in dieselbe Zeit fällt der Aufstand, welchen der berüchtigte Graf Töckely in Ungarn erregte. Wie einst Zapolya, wußte auch Töckely das volle Interesse der Türken für seine Sache zu gewinnen, und ein zweites ungeheures Heer zog im Frühjahr 1683 durch Ungarn nach Wien, der Kaiser und ein großer Theil der Einwohner flohen über Linz nach Passau.

Mit Wuth und Anstrengung fingen die Muselmanen die Belagerung der Kaiserstadt an; allein all' ihr Mühen scheiterte an der tapfern Beharrlichkeit der Besatzung, mit der sich die ganze wackere Bürgerschaft verbunden hatte.

Eine zu bekannte geschichtliche Thatsache bleibt die Art und Weise, in welcher der Herzog Karl von Lothringen, der brave polnische König J. Sobiesky und dann die hochherzigen Churfürsten von Baiern und Sachsen bereit Wien am 12. September (1683) entsetzten, als daß man nöthig hätte, in einige Erörterung einzugehen.

Ihre erste Straßenerleuchtung erhielt die
Stadt 1688, und 1701 erschien zum erstenmal
die Wiener Zeitung.

Im Jahre 1704 wurde um Wien die
noch jetzt bestehende sogenannte Linie angelegt und eine öffentliche Bank errichtet.

Leopold I. starb 1705, ihm folgte Joseph I., welchem 1711 bereits Kaiser Karl VI.
succedirte. 1713 raffte die Pest abermals gegen 9000 Einwohner Wiens dahin, seit jener Zeit aber hat sich keine Spur jenes gräu-
lichen Uebels ferner im Oestreichischen gezeigt.

Papst Innocenz XIII. erhob 1722 das
Bisthum Wien zu einem Erzbisthume.
Im Jahre 1740 ging Karl VI. mit Tode ab.

Der männliche Stamm des edlen Hauses
der Habsburger war erloschen, und des
verstorbenen Kaisers ältere Tochter, Maria
Theresia, vermählt mit Franz Stephan von Lothringen, gelangte zur Regierung. Zum erstenmale ein Weib, und zugleich auf Oestreichs, Böheims und
Ungarns Thronen! Der Umstand war al-

lerdings geeignet, die Eifersucht und die nim=
mer schlafende Wuth, sich zu vergrößern, welche
damals vielen Staatsgewalten beiwohnte, mäch=
tiglich aufzureizen; allerwärts erhoben sich Prä=
tendenten, welche dräuten, Theresien ihre
Kronen streitig zu machen, und am gerechte=
sten mochten in Folge des Ferdinandschen
Testamentes, die Ansprüche des Churfür=
sten von Baiern sein. Doch genug! will der
Topograph die historische Skizze einer Stadt
liefern, so bleibt ihm nur verstattet, die Regen=
tengeschichte des Landes insofern zu berühren,
als sie bedeutend und unmittelbar in die sei=
nes Objektes eingreift, und so oft auch von
dieser Regel schon abgewichen worden sein
mag, so will man sich keines ähnlichen Fehlers
schuldig machen.

Eine französisch = baiersche Armee überfiel
(1741) Oestreich und nahm Linz weg;
Wien zitterte; statt einer osmanischen nun
eine christliche Armee vor seinen Mauern zu
sehen, und dieselben Fahnen, welche ihm
18 Jahre früher Schutz und Rettung gebracht
hatten, dräuten ihm nun Verderben, doch —

der Muth und die Weisheit eines reifen Mannes wohnten der jungen Königin bei, die Gefahr ging vorüber.

Von den vielen wissenschaftlichen Anstalten
Wiens, welche ihr Dasein oder wenigstens
ihre Verbesserung und Erweiterung M. Theresien verdanken, wird anderwärts die Rede
sein, indeß zog unter ihrer Regierung (1750)
statt der ehemaligen physischen nun eine
moralische Pest, nämlich das verderb-
liche Zahlenlotto-in die Hauptstadt
und das ganze Land ein.

Theresia starb im Jahre 1780, und
ihr Sohn und bisheriger Mitregent, Kaiser
Joseph II., ergriff das mächtige Scepter;
doch ihn wird ein eigener Aufsatz in diesem
Buche einigermaßen zu würdigen suchen.

Der zweite Joseph segnete 1790 das
Zeitliche, und ihm folgte Leopold II., sein
ältester Bruder, in der Regierung, der aber
nach Verlauf zweier Jahren schon starb und
des Staates Ruder in den Händen seines äl-
testen Prinzen, des nunmehr regierenden Kaisers Franz I., zurückließ.

Meine kräftigen Leser alle sind Zeitgenossen dieses hochachtbaren, gerechten und geliebten Monarchen; ihnen die Drangsale, welche Wien unter dessen Regierung im Laufe der neuern Kriegszeiten erlitt, wiederkäuen zu wollen, wäre zweckloses Mühen; ganz Deutschland war aber auch gerührter Zeuge von der väterlichen Milde und der Weisheit, durch welche der erhabene Franz Alles aufbot, die Wunden zu heilen, welche ein unseliger, langwieriger Kampf seiner Hauptstadt und seinen Staaten überhaupt geschlagen hatte.

* * *

Wenn man nun damit anhebt, vorerst von Wiens Physiognomie zu sprechen, ehe man daran denkt, die versprochenen topographischen und statistischen Notizen zu liefern, so kann das Unternehmen doch gewiß nur ungemein befangene Leser befremden; denn verbindet man richtig mit dem Begriffe: „Physiognomie“ das ganze Aeußere irgend eines Objektes, insofern dieses im Stande ist, einen ersten und allgemeinen Eindruck, eine summarische günstige oder un-

günstige Meinung von dem in Rede stehenden
Gegenstande hervorzubringen, so bleiben frühere,
sinnige Schriftsteller keineswegs zu tadeln,
wenn sie an einzelnen Städten, ja
wohl gar an ganzen Ländern selbst, Phy=
siognomie wahrnehmen wollten.

Ins rechte Licht und in den günstigsten
Standpunkt müssen Kenner und Künstler sich
versetzen, wenn sie die Physiognomie eines
Objekts prüfen und treffend beurtheilen wollen;
und hinsichtlich Wiens bleibt als vorzüglich=
ster Standpunkt der sogenannte Kahlen=
berg zu empfehlen.

Die Kaiserstadt mit ihren unübersehbaren
Vorstädten, Thürmen und Pallästen allen,
gewährt von hier aus in der That einen ein=
zigen Anblick, dessen Großartigkeit ungemein
imponirt.

Wiens Lage, seine nähern und entfern=
tern Umgebungen sind idyllisch und ro=
mantisch zugleich; es stellt sich gleichsam in
Mitte eines großen, anmuthigen und üppigen
Gartens dar. Hohe Berge, welche das Thal
umschließen, lachende Thäler, die sich zwischen

den Bergrücken hinziehen; schattige Haine,
welche allerwärts sich wölben, jener deutsche,
breite und majestätische Strom, der sich zwischen Auen und blumigen Wiesen hinwindet,
und viele liebliche Rebengelände, die sich sanft
von den Höhen in die Thäler herabsenken,
bilden die karakteristischen Theile des ganzen
unbeschreiblich reizenden Bildes.

Auf einer unbedeutenden Anhöhe am süd-
lichen Ufer der Donau breitet sich Wien
aus; es gleicht einigermaßen der Form eines
Eies; die Länge beträgt, der allerneuesten
Vermessung zufolge, gegen 3300 Klafter, die
Breite aber 2700 Klafter, versteht sich mit
Einschluß der Vorstädte.

Die Esplanade (Glacis) trennt die
Stadt von den Vorstädten; sie bildet einen
schönen mit Bäumen bepflanzten Wiesengrund,
und wird nach allen Richtungen durch Fahr-
und Fußwege beschnitten.

Kaum 1400 Gebäude zählt die Stadt,
die Vorstädte dagegen nahe an 6000. In der
Stadt zeichnen die Häuser Dauerhaftigkeit
und vier bis fünf Stockwerke aus, in den

Vorſtädten dagegen bemerkt man bloß zwei; höchſtens drei Stockwerke; die ehemaligen Schindeldächer ſind aber dort ſo ziemlich verſchwunden.

Die Zahl und Eintheilung der Vorſtädte wurde ſtets ſehr mangelhaft und willkürlich angegeben; man rechnet deren in der neueſten Zeit gewöhnlich 33, die Regierung aber ſoll nur 22 in den Liſten führen. Die Leopoldſtadt, die Joſephſtadt, Mariahülf und die Wieden ſind die vorzüglichſten und bemerkungswertheſten unter den Vorſtädten.

Die Donau trennt ſich eine Stunde ober Wien in verſchiedene Arme, welche ſich aber unter der Kaiſerſtadt wieder vereinigen. Mehrere Brücken verbinden die Stadt mit den Vorſtädten; unter denen ſich die neuerbaute, ehemals Schlagbrücke genannt, als die ſchönſte und bedeutendſte auszeichnet.

Wien hat aufgehört, eine Feſtung zu ſein, die dermaligen fortdauernden Demoſirungen und Bauten verſprechen ihr ein gefälligeres Anſehen.

Zwölf Thore führen aus der Stadt, welche 110 Straßen und Gaſſen hat, elf andere, mit Polizeiwache besetzte Pforten durchbrechen die sogenannte Linie. Die Bauart der eigentlichen Stadt ist höchst unregelmäßig; beinahe alle Gassen sind äußerst eng, unbequem, finster und winklig.

Nur acht größere öffentliche Plätze zeichnen die Stadt aus, der Raum des größten selbst ist beschränkt.

Die Zahl der Einwohner in Wien, und seinen Vorstädten kann im gegenwärtigen Augenblicke mit ziemlicher Wahrscheinlichkeit, mit Allem und in Allem auf 278,000 angegeben werden.

Unter den Einwohnern bemerkt man vorzugsweise viele Ungarn, dann Pohlen, Raizen, Kroaten, Wallachen, Moldauer, Griechen, Türken und Fremde aus allen Ländern Europas, aus welcher richtigen Angabe man auf die Verschiedenheit der Mundarten schließen mag, welche zu vernehmen in Wien sich allerwärts Gelegenheit darbietet.

Sogenannte Luxuspferde werden in der Kaiserstadt sehr viele gehalten, und die Hundeliebhaberei übersteigt alle Grenzen, ob.

schön man dieselbe von Seiten der Polizei sehr
zu beschränken sucht; es befinden sich nach einem sehr glaubwürdigen Anschlage jetzt nicht
minder als 14,000 Hunde innerhalb der Linien.

Ein gerechtes Erstaunen erwecken bei jedem
Fremden, nach einer flüchtigen Uebersicht, die
Jahreslisten der zu Wien consumirten Lebens-
mittel; ihre Zahl übersteigt bei weitem den
verhältnißmäßigen Bedarf ähnlicher Bedürfnisse in allen übrigen Städten deutscher Länder, und man gelangt bald genug zu der festen Ueberzeugung, daß der Bauch der hoch-
verehrteste Götze der Wiener sein müsse.

Aus ganz Ober- und Niederöstreich,
aus Ungarn, Böhmen, Mähren,
Steyermark, Kärnthen, Tyrol,
Salzburg, Friaul, Istrien, Venedig und Mailand werden regelmäßig Le-
bensmittel und Leckereien in Hülle und Fülle
nach der Hauptstadt geschleppt, und doch kann
man, allen Ernstes, wiener Hausfrauen recht
bitterlich klagen hören, daß nach einer halb-
stündigen zufälligen Versäumniß auf den Märk-
ten nichts Ordentliches zu erlangen wäre.

Von der, selbst in den neuesten Zeiten so oft und hoch gerühmten Wohlfeilheit aller zum menschlichen Leben gehörigen Bedürfnisse finden sich wenigstens jetzt zu Wien nur geringe Spuren. Zur Zeit, als die sogenannten Bankzettel bis auf 15 Procent herabgesunken waren, mochten sich diesfalsige Verhältnisse dem Ausländer, welcher mit goldgefüllter Börse nach der Kaiserstadt kam, freilich anders dargestellt haben; allein die nunmehrigen Einlösungs= und Anticipations= scheine erhalten sich in dem einmal gewonnenen Kurse, und man speist in ansehnlichen und soliden Gasthöfen im gegenwärtigen Augenblicke nicht wohlfeiler, als an einer Berliner oder Dresdener table d'hôte; eine anständige chambre garni nebst Kabinet kostet, selbst in der Leopoldstadt 50 - 60 fl. W. W., und ein moderner Rock von feinem Tuch, mit Seidenzeug gefüttert, kann unter 100 fl. W. W. nicht füglich angeschafft werden.

Wiens Bevölkerung befindet sich noch immer in Aufnahme, dagegen erscheint auch seine Mortalität, selbst verhältnißmäßig, un-

14

gemein bedeutender, als jene Leipzigs und jeder andern großen deutschen Stadt.

Die Zahl der Verstorbenen beträgt zu Wien täglich selten unter 12, häufig aber über 40.

Jene Eingeborenen, welche ungeregelte und unmäßige Lebensart, Excesse in der thierischen Liebe und das unsinnige Tanzen und Tollen nicht in des Lebens Frühlinge dahinraffen, unterliegen im Sommer ihres Daseins Lungenkrankheiten, oder der Schwindsucht, Auszehrung und Gicht, Folgen eines ungesunden Klimas, und der in den niedern Ständen allgemein herrschenden Unreinlichkeit. Kinder sterben äußerst häufig, bevor sie das erste Lebensjahr zurückgelegt haben.

Wem es darum zu thun ist, sich von der Kaiserstadt ausführlichere topographische und statistische Nachrichten zu verschaffen, den verweisen wir auf Johann Pezzls Beschreibung der Haupt = und Residenzstadt Wien, unstreitig unter den vorhandenen die beste, von welcher ehestens eine sechste Ausgabe erscheinen wird.

Ich nahm hier größtentheils nur solche Notizen auf, welche von Herrn Pezzl sehr bedeutend abweichen, allein ich habe dessenungeachtet nicht zu erwarten, einer Unrichtigkeit überwiesen zu werden, und begnüge mich hiermit, nun der kaiserlichen Burg, dann der merkwürdigsten Kirchen und Klöster der Stadt und Vorstädte in gedrängter Kürze zu erwähnen.

Die Hofburg ist in ihren Hauptgrundmauern (vorzüglich und ganz gewiß wenigstens der östliche Theil derselben) noch dieselbe, welche bereits der siebente Leopold gegen Ende des zwölften Jahrhunderts zu bauen anfing; seit jener Zeit erweiterten, verbesserten und pfuschten mehrere Regenten an dem Gebäude, allein wie denn viele Köche immer den Brei zu verderben pflegen, so auch hier; man bemerkt an der heutigen kaiserlichen Burg sparsam einige einzelne architektonische Schönheiten, aber das Ganze entstellen Unregelmäßigkeiten und der allerbarockste Geschmack; selbst J. Pezzl, ein nicht immer unbestochener Lobredner seiner Vaterstadt, schreibt

14 *

von dieser Burg: Sie sei von außen aller=
dings nicht sehr ansehnlich, und in diesem
Betrachte seien die Palläste der meisten (aller)
übrigen europäischen Fürsten sehenswürdiger.

Wahrlich die Erbauung einer neuen wür=
digen Kaiserwohnung thäte in Wien sehr
noth; allein man hat bis jetzt dazu noch keine
Anstalten bemerkt.

Uebrigens bleibt noch zu bemerken, daß
sich in der Burg zwei eigene Kapellen befin=
den, wovon aber nur die eine zum gewöhn=
lichen öffentlichen Gottesdienst gebraucht wird,
welche die Hofpfarre bildet, und zur Winters=
zeit an Sonn= und Feiertagen Morgens um
11 Uhr vom Hofe selbst mit großer Feierlich=
keit besucht wird.

Außerdem giebt es in der eigentlichen Stadt
Wien — neunzehn, dem katholischen Kul=
tus geweihte Kirchen, von welchen, außer
der erwähnten Burgpfarre, noch sieben an=
dere Pfarren bilden.

Mönchsklöster befinden sich, mit Ein=
schluß der Liquorianer — sieben, nur
aber ein einziges Nonnenkloster, näm=

lich das der Urfulinerinnen in der
Stadt.

. Die erwähnten 19 Kirchen werden folgen=
dermaßen benennt: 1) zu St. Stephan
(Pfarre). 2) Zu St. Peter (Pf.) 3) Bei
den Schotten (Pf. und Kloster). 4) Zu
St. Michael (Pf. u. Klst.) 5) Bei den
Augustinern (Pf., Klst. u. Hofkirche).
6) Bei den Kapuzinern (Klst.) 7) Auf
dem Hof (Pf.) 8) Bei den Dominica=
nern (Pf. u. Klst.) 9) Universitäts=
kirche. 10) Bei den Franciscanern
(Klst.) 11) Kirche der Italiener. 12) Zu
St. Anna, 13) Kirche des Savoyischen
adelig = weltlichen Damenstiftes.
14) Bei St. Ruprecht. 15) Kirche des
deutschen Ordens. 16) Bei den Mal=
thesern. 17) Zu Maria Stiegen
(Klst. nun den P. Liquorianern einge=
räumt). 18) Zu St. Salvator, und end=
lich 19) Kirche des Ursuliner = Non=
nenklosters.

Ohne einige nähere Erwähnung kann man
folgende Tempel nicht füglich übergehen:

'I) Die St. Stephans = iſt die Metro=
politankirche Wiens — in der That
ein ungemein großes, majeſtätiſches, altergraues
Gebäude in rein gothiſchem Style aufgeführt,
welches die ganze Stadt überragt; 18 frei=
ſtehende große Säulen unterſtützen das Ge=
wölbe. Feierlich ernſt und düſter iſt das Aeu=
ßere und Innere des Tempels, eine gewiſſe
Großartigkeit iſt der herrſchende Karakter des
Ganzen, welcher zumal bei dem erſten An=
blick einen nicht gewöhnlichen Impuls auf
den Fremden übt; beſonders bringt das An=
ſchauen der koloſſalen ſchwarzen Steinmaſſe
im klaren Mondſcheine einen ganz eigenen
Eindruck hervor.

Man zählt in der St. Stephans=
kirche acht und dreißig Altäre von Marmor
mit einigen recht wackern Gemälden; vorzüg=
lich bemerkenswerth in derſelben bleiben die
Grabmale Kaiſer Friedrichs IV. und des
berühmten Helden Eugen von Savoyen.

Seltſam, aber wahr bleibt es, daß in der Gruft
der Stephanskirche alle verſtorbene Mit=
glieder des regierenden Hauſes förmlich aus=

geweidet und zerstückelt werden, weil
drei Kirchen ein Recht auf einen Theil der
kaiserlichen Leiche haben: Die Hofkirche
bekommt das Herz, St. Stephan die Ein=
geweide, und der Ueberreste des Leichnams end=
lich dürfen sich die Kapuciner bemächtigen.

Der Stephansthurm ist 434 Fuß hoch
und gewährt ebenfalls einen höchst imposanten
Anblick; mehr als 700 Stufen führen zur
Spitze; der Thurm neigt sich sichtbar nord=
wärts, doch soll, nach Aussage der Bauver=
ständigen, bis jetzt noch nicht Gefahr des Ein=
stürzens drohen.

II) Die Kirche zu St. Peter befindet sich
auf dem Platze gleichen Namens und bleibt
erwähnungswerth, weil sie in italischem Ge=
schmacke erbaut, und als Nachahmung der
Peterskirche zu Rom der Bau als sehr ge=
lungen genannt zu werden verdient.

III) Der Tempel zu St. Michael ist
hinsichtlich seines Innern, einer der gefällig=
sten, freundlichsten und hellsten in der Kaiser=
stadt, und bewahrt einige brave Gemälde von
Unterberger, Bock und Carl Carloni.

IV) Die Augustinerkirche verdankt ihre Celebrität vorzugsweise einem Denkmale von dem berühmten Canova, welches im Jahre 1805 der nun seit kurzem verstorbene Herzog Albert von Sachsen = Teschen seiner Gemahlin der Erzherzogin Christine von Oestreich setzen ließ, und welchem mit vollem Recht und zwar allgemein ein Rang unter den ersten diesfalsigen in Europa vorhandenen Kunstwerken angewiesen wird. Ich halte eine nähere Beschreibung des berühmten Monumentes hier für zwecklos, weil man eine solche weitläufig genug in J. Pezzls Topographie und in mehrern andern Schriften findet; auch pflichte ich aus innerer Ueberzeugung ganz der Meinung eines früher reisenden Philosophen bei, der sich also äußerte:

„Ueber den ästhetischen Werth eines solchen Kunstwerkes absprechen, das will ich den zahllosen in der Welt umher reisenden Narren überlassen, die sich anmaßen, gefühlvollen Naturmenschen vorschreiben zu wollen, was schön sei oder nicht. Nichts Einfältigeres kann ich mir denken, als die Beschreibung eines

Kunstwerkes zu lesen, was man nicht
sieht. Die Regeln in der Kunst
sind für den Künstler, sein Produkt ist für den Zuschauer vorhanden. Jene Regeln bringen wahre Künstler mit
auf die Welt, und wer die entgegengesetzten
befolgt, wird ewig ein Copist bleiben."

Manche Stunde vollbrachte ich zu Wien
vor Canovas meisterhafter Schöpfung, allein mit der tiefsten Indignation erfüllte mich
stets der Umstand, daß jenes herrliche Monument dermaßen mit Staub und s. v. Dreck
bedeckt ist, daß man die an den Olymp mah-
nenden zarten Formen bald gar nicht mehr zu
unterscheiden im Stande sein wird; diese Nach-
lässigkeit karakterisirt Wien mit einem Zuge
treffend genug.

Die unirten und nicht unirten
Griechen haben in der eigentlichen
Stadt Wien zwei besondere Kirchen; die
evangelisch-lutherische und die refor-
mirte Gemeinde Bethäuser und die
Juden endlich eine Synagoge.

In den Vorstädten befinden sich im Gan-

zen 16 größere Gotteshäuser, die Kapellen
nicht mit eingerechnet, von welchen allen aber
nur der Kirche zu St. Karl, auf der Straße
nach dem Rennweg, hier eine besondere
Auszeichnung werden kann.

Dieser Tempel befindet sich auf einem
freien Platze, und ist meines Erachtens, hinsichtlich der äußern sowohl als der innern
Bauart, der schönste in Wien. K. Karl VI.
ließ ihn nach dem Modell der Rotunda im
Jahre 1713, nachdem die Pest in der Residenzstadt große Verheerungen angerichtet hatte,
durch Fischer v. Erlach ex voto erbauen,
daher auch die Inschrift am Giebel des Gebäudes: „Vota mea reddam Domino in con-
spectu timentium eum;" (Psal. XXI.)

Das Gotteshaus hat eine 15 Klafter hohe,
10 Kl. breite, von außen aber 38 Kl. hohe,
mit Kupfer gedeckte Kuppel, das Hauptportal
wird von 6 korinthischen Säulen unterstützt;
zu beiden Seiten sind zwei vorspringende do-
rische Säulen angebracht, von 41 Fuß Höhe
und 14 Fuß im Durchschnitte; sie sind inwen-
dig hohl und mit Wendeltreppen versehen,

welche bis zu den Kapitälern führen und ver-
goldete, aus Erz gegossene Adler tragen; diese
Säulen scheinen übrigens in keinem Verhältnisse zu dem Ganzen zu stehen.

Das Aeußere der Karlskirche mahnt
lebhaft an eine türkische Moschee, selbst die
Minarets werden durch die erwähnten
Säulen ersetzt.

Die Gemälde im Innern sind von Schup-
pen, Gran, Rothmayer, Ricci und
Pellegri, auch befindet sich in dieser Kirche
ein dem bekannten Dichter H. v. Collin
gesetztes Denkmal.

Schließlich halte ich es für zweckmäßig,
dem Leser eine summarische Uebersicht der zu
Wien sich befindlichen, zum Theil sehr se-
henswerthen Wohlthätigkeits-, Lehr-
und Erziehungsanstalten zu geben,
dann der Sammlungen zum Behufe der
Wissenschaften und Kunst zu erwähnen.

Als Wohlthätigkeitsanstalten
führt man hiermit auf:

1) Das Armeninstitut, 2) die östreichische Sparkasse, 3) das Ver-

ſaßamt, 4) das Findelhaus, 5) das
Waiſenhaus, 6) das Gebährhaus,
7) das Taubſtummeninſtitut, 8) das
Blindeninſtitut, 9) das Inſtitut für
arme Kinder, 10) das Bürgerſpital,
11) die Rettungsanſtalt für verun=
glückte Todtſcheinende, 12) das allge=
meine Krankenhaus, 13) das Irren=
haus, 14) das Handlungs=, Kranken=
und Verpflegungshaus, 15) das Ver=
ſorgungshaus für Unheilbare, 16) das
Judenſpital und endlich 17) das Arre=
ſtantenſpital.

Außer jenen Lehr= und Erziehungs=
anſtalten, von welchen anderwärts insbe=
ſondere Meldung geſchehen wird, befinden ſich
zu Wien noch folgende:

1) Das erzbiſchöfliche Seminarium,
2) das Inſtitut zur höhern Bildung der
Weltprieſter, 3) das Convict, 4) das
Kollegium der Pazmaniten, 5) das
Löwenburgſche Kollegium, 6) das
Mädchenpenſionat zur Bildung der
Lehrerinnen, 7) Penſionat für Of=

fiſlerstöchter in Hernals und 8) die
Schule der Urſulinerinnen.

Unter den Sammlungen zum Behufe der
Wiſſenſchaften und Kunſt gebührt den Biblio=
theken der erſte Rang.

Ein in der That ſchönes und prachtvolles
Gebäude am Joſephsplatze enthält die k. k.
Hofbibliothek, allein intereſſanter noch als
das Aeußere erſcheint das Innere dieſes Palla=
ſtes. Einen herrlichen und überraſchenden An=
blick vorzüglich gewährt der große und herrliche
Bücherſaal mit ſeinen Gallerien; er hat 240 Fuß
in der Länge und 54 in der Breite, und bildet ein
Oblong, in deſſen Mitte ſich eine ovale Kuppel
befindet. Die Statüe K. Karl VI., der dieſes
Gebäude aufführen ließ *), in Lebensgröße aus
weißem cararischen Marmor gebildet, und 12
andere Statüen der Regenten aus Habsbur=

*) Eigentlicher erſter Stifter der k. k. Hofbibliothek
war Kaiſer Maximilian I., allein ſowohl un=
ter ihm als auch unter ſeinen Nachfolgern: Ru=
dolph II., Ferdinand III. und Leopold I.
war die Celebrität des Inſtituts noch nicht ſehr
bedeutend.

gifchem Stamme von Rubolpha, zieren
den merkwürdigen Saal.

Marmor, Gold und Malereien sind an
diefes Gemach aber nicht ohne Geschmack ver=
schwendet.

Schon zu des zweiten Josephs Zei=
ten wurde die Zahl der Bände auf 300,000
angegeben, allein die k. k. Hofbibliothek hat
seit jener Zeit reichlichen Zuwachs erhalten.
Mehrere tausend zum Theil sehr merkwürdige
Manuscripte werden in zwei eignen Zimmern
aufbewahrt, und auch gegen 800 mit seltenen
Kupferstichen gefüllte Bände sind vorhanden.
Zur Anschaffung neuer kostbarer Werke sind
jetzt für jedes Jahr 15,000 fl. klingende Münze
bestimmt. Die Bibliothek steht, außer Sonn=
und Festtagen, Vor= und Nachmittags dem
gebildeten Publikum offen.

Wären überhaupt Bibliotheken hinreichend,
Kenntnisse und Humanität zu verbreiten und
das hehre Reich des Wissens zu erweitern,
wahrlich Wien stünde auf einer hohen Stufe
geistiger Kultur; denn außer der großen Hof=
bibliothek giebt es noch eine Menge anderer,

welche bedeutende Schätze enthalten, von welchen man hier bloß die der Universität,
der Schotten, der Dominicaner, der
Augustiner, dann die Büchersamm-
lungen des Fürsten Johann v. Liech-
tenstein (36,000 Bände stark) und des
Fürsten Niklas Esterhazy, ferner die
der Grafen Teleky, Harrach, Appony
und Fries berühren will.

Noch, und zwar zum gänzlichen Schlusse
gegenwärtiger Skizze, werde ich jetzt die vor-
züglichsten anderweitigen Sammlungen zum
Behufe der Wissenschaften und Künste aufführen; sie werden genannt:

1) k. k. Naturalienkabinet, 2) Naturalienkabinet der Universität, 3) k.
k. physikalisch = mechanisch = naturhi-
storisch = astronomisches Kabinet, 4) k.
k. Kabinet der Antiken und Münzen,
5) k. k. Gemälde = Gallerie, 6) die Am-
braser Sammlung, 7) Fürstlich Liech-
tensteinsche Gemälde = Gallerie und
Kupferstichsammlung, 8) die Sammlung von Kupferstichen und Zeich-

nungen des Herzogs Albert von Sach=
sen=Teschen (im gegenwärtigen Augenblick
durch Erbschaft dem Erzherzog Karl anheim ge=
fallen), 9) die Kunstsammlungen des
Fürsten Esterhazy, und endlich 10) die
k. k. privilegirte Kunstgallerie bei'm
Rothenthurm=Thore.

Die Charwoche.

Viele Reisende haben über die zu Wien in
der Thatsache interessante Feier des Frohn=
leichnams geschrieben, allein nach meiner
Meinung verdient die der heiligen Woche
dieser entgegengestellt zu werden.

Während dieser ganzen Woche werden be=
reits gegen Abend in den verschiedenen Kirchen
die in der That schönen und rührenden Klag=
lieder Jeremiä *) abgesangen und die Got=

---

*) Besonders entzückte mich in der Kirche zu St.
Karl auf der Straße am Rennwege, die reine
Altstimme eines jungen, erizenden Mädchens.

teshäuser bleiben nimmer leer, allein die ei=
gentlich interessante Seite der Kirchenfeierlich=
keiten zeigt sich erst am frühen Morgen des
Char= oder stillen Freitags.

Wenn Christus zu Grabe getragen, das
heißt, wenn in den Tempeln das Venera=
bile in einer schwarz dekorirten, mit unzäh=
ligen Wachskerzen erleuchteten Kapelle, bei
einem aufgeschlagenen Castrum doloris beige=
setzt worden ist, zeigt das ganze allgemeine
Leben und Treiben in der Kaiserstadt einen
ungewöhnlichen Karakter, eine veränderte
Physiognomie.

Die Legio großer und kleiner Glocken, welche
sonst unaufhörlich brummt, tönt und pimpert,
ist plötzlich in ein tiefes Schweigen versunken;
die Krieger schreiten ernst und mit gesenkten
Waffen; dumpf und klagend dürfen Trommeln
und Trommeten nur schallen, Handel und Ge=
werbe stocken, in tiefer Trauer und viel stiller
als sonst drängt sich alles durch die Straßen
nach den Gotteshäusern hin, und nur die
Schneider und Putzmacherinnen arbeiten zu

15

Hause im Schweiße ihres Angesichts Tag
und Nacht, denn zum nahen Osterfest bestellt
Alt und Jung neuen Flitterstaat.

Ein erhabener Typus, es läßt sich für
wahr nicht leugnen, bezeichnet in diesen letzten Tagen der heiligen Woche die Kirchenfeier.
Würdig und dem Zwecke angemessen sind
die düstern Todtenkapellen, vorzüglich die
zu St. Stephan, dekorirt *). Ueber dem Sar-
kophage des Heilandes erhebt sich ein einfaches,
leeres, nur mit dem sogenannten Schweiß-
tuche drappirtes Kreuz, an dessen Fuße Engel
von gediegenem Silber, mit verhülltem Ant-
litze, knieen; aus dem Hintergrunde strahlt
die prachtvolle Monstranz, magische Erleuchtung erhellt das Ganze, Weihrauchwolken wo-
gen im engen Raume, und spenden narkotische
Düfte; ein ehrwürdiger Priester kniet betend
am Katafalk, die Gläubigen liegen an der
Erde, in Andacht versunken, tiefe feierliche
Stille waltet, selbst die frechste Frivolität ist

---

*) Nur in einigen wenigen Kirchen waren solche
   Dekorationen geschmacklos überladen, und viel zu
   theatralisch.

ungeschlachtet, das Knistern der brennenden
Wachskerzen allein bleibt vernehmbar.

Ich bemerkte unter der frommen Gemeinde
viele zarte, holdselige Gestalten; schwarze
Seide und Kreppe umflossen heute der Jungfrau reizende Formen, die armen Kinder sahen
blaß, beteten und weinten voll Inbrunst, daß
man wirklich in Versuchung kam zu glauben,
es sei ihnen der eigentliche Geliebte der Seele
vor wenigen Stunden erst gestorben.

Aus dem Gotteshause, zum heiligen Pe=
ter genannt, wurde Abends am Charfreitage
eine junge, schöne Dame ohnmächtig wegge=
tragen; ein ähnlicher Fall geschah zu St. Mi=
chael. Ein alter, geborner Wiener sagte
mir: „Analoges passire in der Kaiserstadt wäh=
rend der heiligen Woche in jedem Jahre. Der
Mann fügte bei: es gehen dem bessern Theile
des schönen Geschlechtes an diesem Tage An=
dacht und Trauer wirklich von Herzen; die
Damen pflegen streng — zu fasten, die
Hitze und verdorbene Luft in den Kapellen
tragen das ihrige bei; dieses alles wirkt auf
zarte Nerven, und das plötzliche Eintreten ei-

15 *

ner Ueblichkeit bleibt dann nichts mehr als
natürlich."

Ich gestehe, ich hätte den Wienerinnen ein
solches Gefühl für die Poesie der Religion,
und solche glutvolle Phantasie in dieser Sphäre
nicht zugetraut.

In der Nacht vom Charfreitage auf
den Sonnabend wird die St. Ste=
phanskirche gar nicht verschlossen, das
Venerabile bleibt ausgesetzt und das heilige
Grab wie am Tage erleuchtet. Ich besuchte
in Gesellschaft einiger Bekannten, die ich
in dem schönen Wagnerschen Kaf=
feehause in der Leopoldstadt traf, jenes
Gotteshaus bereits nach Mitternacht.

Es herrschte am hell erleuchteten Grabe
noch höhere Andacht und feierlichere Stille, als
am Tage, denn die tief erbaute und in An=
dacht verzückte Gemeinde — meistens aus Da=
men bestehend — war weniger zahlreich.

Nie werde ich jene Nacht vergessen; blen=
bend zwar war jene große Nische, in welchem
das heil. Grab sich befand, erleuchtet, allein

in dem weiten Raum des Tempels, in jenen
hohen altgothischen Gängen waltete ein schauer=
liches Hellbunkel, lange Schlagschatten war=
fen die kolossalen Säulen, und hier in der
Geisterstunde zu wandeln, bringt einen Ein=
druck ganz eigener Art hervor. In den fin=
stersten Winkeln der Kirche — die wiener
Polizei kennt ihr Publikum — standen Wa=
chen, um möglichen Unfug im Heiligthume
zu verhüten.

Am Charsamstage (Sonnabends) ge=
gen Abend wird in sämmtlichen bedeutendern
Gotteshäusern die sogenannte Auferstehung
gefeiert, allein alle Kirchen sind dermaßen von
Menschen erfüllt, daß es eine Aufgabe gelten
kann, in dem erstickenden Volksgedränge aus=
zuhalten, eine Aufgabe, welche ich wenigstens
nicht zu lösen vermochte.

Nun ertönt aus Priesters Munde das feier=
liche: „Christ ist erstanden!" und diese Worte
wandeln plötzlich die ganze Scene um, alle
Glocken der Kaiserstadt erschallen, das auf
kurze Zeit unterbrochen gewesene geräuschvolle
Leben und Treiben kehrt schnell genug zurück;

es füllten sich nach beendigtem Abendgottes=
dienste die Wein = und Kaffeehäuser voller als
je, laut schäkernd und jubelnd durchziehen
Freudendirnen die Straßen — die Zeit der
Fasten ist vorüber.

In den nun folgenden Osterfeiertagen aber
beginnt vollends ein allgemeines Gau=
dium; Alles prunkt in neuem oder aufge=
frischtem Putze, Gassen und Häuser selber schei=
nen zu leben, Zeiselwagen *) und
Fiacker's bedecken in unübersehbaren Reihen
die Landstraßen, Christi Tod und Leiden
nebst den weisen Lehren des Erlösers sind rein
vergessen, wir saufen, fressen, tanzen, tollen,
h***en, — Alles im Uebermaße, und können
es länger nicht verleugnen, daß Epikur
allein der Gott ist, dem wir eigentlich dienen.

---

*) Eine Art unscheinbarer aber bedeckter Leiterwagen
  mit vielen Sitzen; welche für eine Kleinigkeit das
  Volk in Wiens Umgegend umherkutschiren; ele=
  ganter und bequemer sind die Stellfuhren
  (in Federn hängende Wagen), welche zu bestimm=
  ten Stunden von Wien nach mehrern der besuch=
  testen Dörfer in der Umgegend abfahren.

Luxus.

Ohne ihn bleibt großstädtisches Trei=
ben nicht denkbar, und zu Wien ist er
in allen seinen Verzweigungen, Früch=
ten und Auswüchsen am ersten anzu=
treffen.

Von dem höchsten Luxus, der vorzugs=
weise auf glänzende Equipagen sich beschränkt,
war bereits die Rede, doch ihm vermag des
Publikums kleinster Theil nur zu fröhnen, der
größere aber beschränkt sich insbesondere auf
den Kleider= und Freß=, weniger aber
auf den Meubelluxus.

Allerdings huldigt die östreichische Kaiser=
stadt den Launen der Modegöttinnen von
London und Paris, von denen man
hier unglaublich schnell unterrichtet wird, allein
auch zu Wien selbst hat die Dame manch'

Tempelchen *) aufgeschlagen, in welchem nicht
selten die bizarrsten Opfer von eigener Er=
findung gebracht werden, so wie ich z. B.
während meines Aufenthalts zu Wien ei=
nige Elegants der tollsten Klasse Beinkleider
tragen sah, deren Latz in Quadratform so
künstlich ausgenähet war, daß er ganz und
gar einem mit Drath durchflochtenen Kuckfen=
sterlein glich.

Die einmal angeregte Laune der Mode
kann selbst in Paris unmöglich schneller wech=
seln, als zu Wien; wer heute noch von der
Hut = bis zu der Fußspitze ihren neuesten Ge=
setzen konform gekleidet erscheint, darf sich,
wenn er anders den Ruf eines ächt modischen
Zierbengels (hier Grabenstutzer ge=
nannt) behaupten will, nach Verlauf von

---

*) Vor den bedeutendsten Kleiderhandlungen zu
Wien kann man in großen gläsernen Kasten
Wachsfiguren in Lebensgröße bemerken, welche stets
nach der allerneuesten Mode gekleidet werden; daß
man unter einer Menge bereits fertiger Klei=
dungsstücken auswählen kann, versteht sich am
Rande.

längstens vierzehn Tagen, in seinem neu = al=
ten Kostüme nicht mehr blicken lassen.

Diese modischen Herren leben demzufolge
in einem gar seltsamen Verhältnisse; sie be=
zahlen diesem oder jenem en gros arbeitenden
Kleidermacher eine gewisse kontraktmäßige
Summe, wofür sie von dem Manne, nach Um=
ständen, alle acht oder vierzehn Tage mit fun=
kelnagelneuer Garderobe versehen werden, wo=
gegen aber der Schneider alle übrigen viel=
leicht erst eine Woche getragenen Kleidungsstücke
zurücknimmt; allenfalsige Flecken und Beschä=
digungen müssen noch insbesondere vergütigt
werden.

Mancher modische Ritter bezahlt seinem
Schneider jährlich 3 bis 4000 fl. W. W., ohne
daß der Elegant am letzten Tage des Jahres
das eine oder andere Kleidungsstück, welches
er auf dem Leibe trägt, für sein Eigenthum
halten dürfte. Roués, welche mit den
Zahlungsterminen nicht pünktlich einhalten,
riskiren demnach, daß der Lieferant die Gar=
derobe abholt, ohne dieselbe durch eine an=

bere zu erſetzen, und jenen Unglücklichen bleibt
dann nur übrig, vorerſt das Bett zu hüten,
und wenn auch dieſes nicht vorhanden, ſich im
blanken Hembe auf den Ofen zu ſetzen, und
von der düſtern Höhe hernieder beſſern Zeiten
entgegen zu ſehen.

Subalterne Beamte ruiniren ſich durch
dieſen übertriebenen Kleiderluxus nicht ſelten
in einem hohen Grade, und oft hat ein ſol-
cher Mann für eine in Wien verlebte Olym-
piade, während der ganzen folgenden Lebens-
zeit, hart genug zu büßen.

Bedeutender noch, als der erwähnte, bleibt
der Freßluxus, und er dehnt ſich bis zur
niedrigſten Volksklaſſe aus.

Norddeutſche Handwerksleute erfreuen ſich
ſelbſt an den höchſten Feſttagen nicht ſo eines
reichlich beſetzten Tiſches, als der Wiener
Schuſter, Schneider, Maurer, Seifenſieder,
Taglöhner u. ſ. w. tagtäglich; wer Mittags
nur in Hülle und Fülle Suppe, Fleiſch und
Zugemüſe verzehrt, muß ungemein dürftig ſein,
ſonſt folgt regelmäßig Braten und Salat.

Höchst unglücklich würde sich selbst jeder Handwerksbursche fühlen, der sich Abends mit kalter Kost begnügen müßte; Suppe, Braten oder eine andere Speise müssen als Souper aufgetischt werden.

Etwas weniger als am Essen hängt der Wiener am Trunke, doch gehören täglich wenigstens vier Seitel Weines (ein Seitel beträgt beinahe um die Hälfte mehr als ein Viertel nach norddeutschem Maaße) dazu, ihn auch hierin einigermaßen zufrieden zu stellen.

Starker Kaffee wird in großer Quantität konsumirt; dieses Getränk und guter Rauchtaback gehören verhältnißmäßig zu Wien unter die kostspieligsten Bedürfnisse; eine Tasse Kaffee kostet an öffentlichen Orten 18 Kr. W. W.

Der Bürgerstand hält auf dauerhafte Meubels, giebt sich aber in diesem Punkte weniger einem unheilbringenden Luxus hin, als z. B. der Berliner. Wenigstens wird man in Wien ungemein seltener als zu Berlin in den Wohnungen der Schuster

und Schneider, gebohnte Dielen, seidene Gar-
dinen, Tische, Kommoden und Stühle von
Mahagoni und glänzende Trümeaus finden.

Abel.

Den abligen Thaten
Sei abliger Stand,
Dann blühet das Land,
Dann reifen die Saaten.
So war es in guter in alter Zeit,
Als Adel erstand; denn freilich heut
Giebts Abelfabriken, doch stempeln sie schlecht,
Drum hält er nicht recht! —

G. A. Freiherr v. Maltiz.

* * *

Er theilt sich zu Wien bekanntlich in den
hohen und niedern oder sogenannten leonischen ein.

Zu dem ersten gehören die ungarischen,
böhmischen und östreichischen Magnaten, dann
der ehemalige hohe Reichsadel und alle alten
sogenannten stiftsfähigen Familien; die zweite

Klasse bilden die Ritter und Edlen des weiland heiligen römischen Reichs, deren es hier noch eine solche Menge giebt, daß die Donau aus ihren Ufern treten möchte, wenn man dieses ganze papierene Ritter- und Edelthum über die Brücke werfen dürfte.

Von dem hohen Adel habe ich bereits Veranlassung genommen, hier und dort zu sprechen; die ritterlichen und edlen dagegen sind nicht selten Bettelfamilien, welche sich durch albernen Hochmuth und ein fruchtloses Streben, es dem hohen Adel gleich zu thun, in einem hohen Grade lächerlich machen.

Man hat viel über die Leichtigkeit gesprochen und geschrieben, mit welcher Jedermann gegen Erlegung eines ganz mäßigen Sümmchens zu Wien den leonischen Adel erwerben könne. Ob dieses früher der Fall war, will man hier nicht untersuchen, allein ich fand Gelegenheit, mich zu überzeugen, daß man jetzt mit Ertheilung des Adels in der östreichischen Kaiserstadt minder freigebig ist, woran man ganz wohl thut!

Seit Beendigung des sogenannten heiligen Befreiungskrieges stockt in Teutonia der Verkehr der östreichischen Adelsfabrik einigermaßen nicht minder, als der deutschen Wollen= und Seidenzeugmanufakturen; doch nur die letztern allein bleiben zu bedauern.

Genug — man fordert jetzt vom Inländer, wenn er ein ritterliches Wappen nachsucht, mit Recht, vorhergegangene Verdienste um Kaiser und Staat und den Ausweis eines solchen Vermögens, welches den neugebackenen Edelmann in den Stand setzt, sich anständig auf der höhern Stufe der Gesellschaft, welche er gewinnen will, zu behaupten, und der Ausländer wird jetzt auch, gegen alleinige Erlegung von 500 Gulden, schwerlich zu Wien ein Adelsdiplom erlangen, wenn nicht anderweitige Rücksichten die Regierung bestimmen, dem Bittsteller zu willfahren.

Das ganze deutsche Adelthum in unsern Zeiten bietet dem Philosophen Stoff genug zu lächeln, ein Cato aber müßte wahrhaft sein, wer über das alberne und hochmü=

thige Treiben des wiener niebern Abels,
der nur gar zu häufig weder zu nagen noch zu bei-
ßen hat, nicht eine laute Lache erheben würde.
Das Streben nach dem unbedeutenden und
nichtssagenden Wörtlein: von ist allerwärts,
aber nirgends wird es so oft usurpirt, als hier;
Schuster, Schneider und Perücken-
macher nennen sich untereinander: Herr
von, und, ich rathe jedem Fremden, sich
daran schnell zu gewöhnen; denn die Wiener nehmen nichts übler, als wenn man sie
schlechtweg Herr Peter oder Paul nennt;
ob auch schon kein Stückchen Papier sie berechtigt, sich von Paul oder von Peter zu
unterschreiben, so ist es doch einmal herge-
brachte Sitte, im Umgange Jeden zu abeln,
und es läßt unter Anderm in der That nichts
possierlicher, als wenn man einen Bierzapfer
oder gewöhnlichen Gastwirth in seinem Jan-
kerl (Jacke) und grünsammtnem Mützel
Herr von nennen hört.

Man sollte glauben, daß dasjenige aufhören würde, ein Vorzug zu gelten, was
gleichsam aus Gewohnheit Jedem

zu Theil wird, allein die Erfahrung macht
zu W i e n diesen anderwärts gültigen Satz
zu Schanden.

Bildsäule Josephs II.

Puso Dios al Rey en medio del pueblo para dar
egualdad é justicia à todos comunalmente, porque
puedan vivir en paz.

Alonso X. el Sabio.

(Gott hat den König in die Mitte des Volks ge=
setzt, damit er Gleichheit und Gerechtigkeit
Allen auf gemeinsame Weise ertheile, auf daß Alle in
Frieden leben mögen).

*   *   *

Die Statue, welche der jetzt regierende Kai=
ser dem unsterblichen Joseph im Jahre
1805 setzen ließ, befindet sich in Mitte eines
schönen, freien mit Prachtgebäuden umgebenen
Platzes unfern der kaiserlichen Burg.

Der Monarch ist in römischem Kostüme,
mit dem Lorbeerkranze auf dem Haupte, dar=

gestellt, und hält mit der Linken die Zügel
des Pferdes, indem er wie gebietend die Rechte
erhebt. Statüe und Pferd sind in Metall
vom Professor Zauner ausgeführt; die Fi=
gur des Kaisers wäre stehend 13½ Fuß hoch,
des Rosses Höhe aber beträgt mehr als
2 Klafter und die Länge desselben ist verhält=
nißmäßig. Das Piedestal ist von schwarz=
grauem Granit, und an der Vorderseite dessel=
ben liest man folgende in der That ungemein
sinnige und passende Inschrift:

> „Josepho II. Aug. qui saluti publicae vixit
> non diu sed totus."

Gerade während meines Aufenthaltes in
Wien flüsterte man sich in die Ohren, es
würde diese Inschrift abgenommen werden,
weil die Worte: „saluti publicae" allzu de=
magogisch und jakobinerisch klän=
gen (!) — in der That eine ächt liquo=
rianische Ansicht!! — —

Zwei große ebenfalls aus Metall gegossene
Basreliefs zeichnen die beiden Seiten des
Fußgestelles aus, wovon eins den Ackerbau,
das andere den Handel darstellt, wie sie von

16

Joseph II. Schutz und Lohn erhalten; die Hauptfiguren sind hier selbst über 4 Fuß hoch, die Höhe des ganzen Denkmals aber beträgt etwas mehr als 5 Klafter.

An den vier Ecken stehen große Pilaster, wie korinthische Säulen geformt, an welchen man sechzehn kleinere metallene Basreliefs bemerkt, welche nach wirklich vorhandenen Münzen gearbeitet sind, die auf die merk= würdigsten Regierungs = und Lebensmomente des unsterblichen Kaisers geschlagen wurden.

Es läßt sich nicht leugnen, daß der erste Anblick des kolossalen Monuments ungemein überrascht, allein wenn wiener Schriftsteller das Kunstwerk unter die ersten dieser Art in Europa gezählt wissen wollen, so kann man nicht unbedingt einstimmen. An der Statue des Kaisers wird große Aehnlichkeit mit dem Ori= ginal gerühmt, das Pferd ist in seinen Haupt= theilen sehr gelungen, und besonders fleißig, ja vortrefflich sind die Basreliefs gearbeitet; allein so sitzt kein kühner Herrscher, kein ge= wandter Reiter zu Pferde; dieser Sitz mahnt unwillkürlich an jene Ladenbursche, welche drei=

mal, im Jahre an hohen Festtagen einen Spa=
zierritt und zwar mit zagendem und klopfen=
dem Herzen versuchen.

Nichts destoweniger weilte ich manche
Stunde, mit Ehrfurcht erfüllt, vor jenem
Denkmale. Der zweite Joseph war
groß als Mensch und Kaiser; zwar
bleibt wahr, er war eigentlich zu sehr ein
Nachahmer seines unübertroffenen Zeitgenossen,
Friedrichs des einzigen von Preußen,
allein eine so sinnige, den verschiedenartigen
Verhältnissen entsprechende, allerwärts von
eigenem klaren Verstande und Scharfsinn zeu=
gende Nachahmung, wie uns die Josephinische
erscheint, verdient auf jeden Fall höhere Bewun=
derung als — korrupte Originalität.

Ich habe in Wien mehrere betagte, ver=
ständige Männer, ehemalige Zeitgenossen des
großen Kaisers, kennen zu lernen Gelegenheit
gefunden, und verdanke diesen Wackern man=
chen interessanten Aufschluß über Josephs
Wirken und Streben. Wer unter jener Re=
gierung schon lebte und dachte, spricht nicht

16 *

anders als mit Begeisterung von der kaiser=
lichen Theresia unvergeßlichem Sohne;
allein wie in den neuesten Zeiten sich im
Brandenburgischen und Preußischen
die auffallende Erscheinung zeigte, daß des
unsterblichen zweiten Friedrichs
Streben von einzelnen Pseudogenies verun=
glimpft wurde: so kann man nun hinsichtlich
des zweiten Josephs etwas Aehnliches
gewahren, ja es geht so weit, daß des letzten
Lob zu ver..ünden, bei der Gegenwart eines
Naderers nicht ganz rathsam bleibt, denn es
giebt in Wien Schwachköpfe genug, die im
Preisen einer frühern Regierung einen indi=
rekten Tadel der gegenwärtigen zu finden
glauben; doch mögen die Thoren walten,
Friedrich und Joseph werden von späten
Nachkommen noch mit Ehrfurcht und Bewun=
derung genannt werden, wenn junge Namen
längstens verdiente Vergessenheit verschlungen
hat.

Vier bedeutende Hauptziele waren es, welche
Josephs hehrem Genius stets vorschwebten.

Er wollte 1) durch eine tief durchdachte

Hauptreform die Macht des Adels und der
Klerisei brechen, diese Stände dem alleinigen
Interesse des Staates gewinnen, den Bürger
und Bauer heben.

2) Alle verschiedenartige Länder seines gro=
ßen Reiches nach einer Form, nach gleichen
Gesetzen beherrschen; es sollte nur e i n e
V e r f a s s u n g, nur e i n e Sprache geben.
Die Kompetenz der Stände sollte beschränkt,
die Geistlichkeit von der Theilnahme an der
Regierung ausgeschlossen werden, eine kräftige
Alleinherrschaft dagegen dieselbe Tendenz ver=
folgen, und endlich dieselben Resultate ins
Dasein rufen, wie zu erreichen dem preußi=
schen z w e i t e n F r i e d r i c h gelungen war.

3) Das Erziehungswesen sollte verbessert,
wahre Aufklärung befördert werden, und un=
eingeschränkte Gewissensfreiheit walten; die
aufgehäuften Schätze der geistlichen Müßig=
gänger aber sollten dem zerrütteten Staats=
Finanzwesen auf die Beine helfen; und endlich

4) Strebte J o s e p h dem Staatensysteme
E u r o p e n s im Allgemeinen eine andere
Richtung zu geben: Er wollte die N i e d e r=

lande fahren laſſen, und Baiern dagegen verſchlingen; der halbe Mond-ſollte er-
bleichen, der kühne Doppeladler nach der Zinne
der Sophienkirche Stambuls fliegen.

Die Idee, das alte, ſchöne Baiern
mit ſeinen eigenen Erbſtaaten vereinigen zu
wollen, war eines deutſchen Kaiſers
unwürdig, alle andere Plane Joſephs er-
ſchelnen behr und erhaben; allein Dummheit,
Aberglauben, beleidigter Ahnen = und Pfaffen-
ſtolz, ja ſelbſt der Zufall traten in feſtem
Bunde dem Streben des edelſten Fürſten
bräuend entgegen; er kämpfte mit des ächten
Helden Ausdauer, mußte aber am Ende dennoch unterliegen, — es bleibt das Loos
des Großen hienieden!—

Dieſe Völker waren nicht reif und keines
Joſephs werth.

Die heutigen Wiener ſeufzten zur Zeit der
höchſten Noth vor jener Bildſäule oft genug:
„O Sepperl, ſteig' halt herab und regiere!"

Unüberlegter Wunſch, was ſollte Euch ein
Joſeph, Ihr ſeid noch immer dieſelben —
unempfänglich für Erhabenes im Allgemeinen,

*

immer, ja vielleicht noch lange nicht so reif,
den Riesenplanen entgegen zu kommen, und —
werden die frommen Väter L. quorianer
Euch anders stimmen? —

Schöne Geister.

Grillparzer — Castelli — Freiherr
von Biedenfeld — Fr. v. Weißenthurn — Adolf Bäuerle —
Meißl — Gleich u. s. w.

Ich habe auf meinen Reisen unter den sogenannten schönen Geistern männlichen und weiblichen Geschlechtes in Deutschland so viele hä-
mische, unmoralische und nichtswürdige Ka-
raktere, auch ausgezeichnete Narren und När-
rinnen kennen gelernt, daß ich es mir bei meiner
Abreise von Prag zum festen Grundsatz gemacht hatte, nirgends mehr Belletristen, Künstler und Künstlerinnen aufzusuchen.

Bei der konsequenten Ausführung des Vor-
satzes können zwar Erfahrung und physisches

Fortschreiten allerdings verkürzt werden, allein meines Lebens Ruhe, mein Glauben an die Menschheit überhaupt und an den erhabenen Standpunkt der unentweihten Muse müssen offenbar gewinnen, und man wird sich daher in der angeregten Sphäre schon mit magerern Notizen begnügen müssen, als man zu fordern sich berechtigt glauben möchte.

Alle wiener guten Köpfe, die zur schönen Literatur sich hingezogen fühlen, beschränken jetzt ihre Thätigkeit größtentheils auf Theaterschriftstellerei, da sie hier die dankbarste ist, und das Eingreifen in andere Felder durch eigensinnige und strenge Censur und die Eigenthümlichkeit des östreichischen Buchhandels leicht verleidet wird.

Außer der berühmten und mit Recht sehr hoch geachteten Frau Caroline von Pichler hat Wien wenig nahmhafte Erzähler oder Erzählerinnen zu nennen.

Grillparzer bleibt, trotz seiner bedeutenden Fehler, das leuchtendste Gestirn an diesem düstern Horizont, und kein unparteiischer Richter kann dieses Mannes ächten Beruf zur

erhabenen Kunſt verkennen; in einer andern
Schule und unter andern Verhältniſſen dürfte
er vielleicht dereinſt die Stufe eines Shakeſpeare
erreicht haben. Sein neueſtes Theaterſtück:
das goldene Bließ, iſt hier auf dem
Burgtheater gegeben worden, ohne aber
beſonderes Aufſehen erregt zu haben; es ſpricht
der Umſtand keinestheils gegen das Produkt,
welches nächſtens im Wallishauferſchen
Verlage erſcheinen wird; es ſind mir von dem
goldenen Bließ von einigen Bogen ſo=
genannte Bürſtenabzüge zu Geſicht ge=
kommen, und ich muß geſtehen, daß mich in
dieſen Proben eine ſehr erhabene und gedie=
gene Diktion ungemein angeſprochen haben.

Herr Grillparzer iſt hier eines So=
nettchens halber, durch welches die Hierar=
chie ein bischen angetaſtet ſchien, ziemlich
in Ungnade gefallen und ſoll — des Genies
gewöhnliches Loos — anderwärts noch ver=
ſchiedentlich chikanirt werden; nun, hier in Un=
gnade zu fallen, dazu bedarf es geringer Ur=
ſache, und des Dichters Genius wird ſich über
ſolche Miſère wohl zu erheben wiſſen.

Ich sah Herrn G. einigemal im Erzher=
zoge Karl in der Kärnthnerstraße,
wo er gewöhnlich zu speisen pflegt. Er ist
ein sehr hagerer und schwärzlicher junger Mann,
dessen Aeußeres beim ersten Anblick wenig zu
versprechen scheint, aus den seelenvollen Au=
gen aber stralen, sprechend genug, Geist,
Phantasie und Seele.

Auch Castelli ist jedem unserer deutschen
Zeitgenossen von einer vortheilhaften Seite
bekannt; er ist ein umsichtiger und geschmack=
voller dramatischer Uebersetzer, aber weniger
glücklich als sparsamer Producent; ein kleines
neueres Lustspiel von ihm: Der Eremit im
Lerchenhaine, ist sehr mittelmäßig.

Der Freiherr von Biedenfeld, ein treu=
herziger Schwabe, widmet seine ganze Thä=
tigkeit, beinahe ausschließlich, dem Theater
an der Wien, auch er übersetzt größtentheils
französische Piecen, für die Bühne brauchbar,
wenn schon bei weitem mit weniger Geschmack
und Auszeichnung als Castelli; der B. v.
Biedenfeld hatte das seltene Unglück, daß
ihm schon in seiner zartesten Jugend ein

Schwein den rechten Arm abfraß, nichts
destoweniger schreibt er mit der Linken, wie
ein kalligraphischer Meister.

Daß die Frau von Weißenthurn zu
ihren bekannten Schau = und Lustspielen nicht
viel mehr als den Namen hergebe, wird hier
allgemein behauptet, und als Verfasser der=
selben nennt man einen Freund der Dame.
Wenn die Sache sich in der That so verhält,
so glaubt man, daß deren Bekanntmachung der
Fr. v. Weißenthurn eher zur Ehre, als
zum Nachtheil gereichen kann.

Bei dem Theater in der Leopoldstadt sind
die Hrrn. A. Bäuerle, Meißl und Gleich
förmlich als Theaterdichter angestellt, und alle
drei sind ungemein fruchtbar. Ich habe mich
schon anderwärts über die Leistungen, welche
diese Herren zu Tage fördern, ausgesprochen
und meine Betrachtungen an Ort und Stelle
bestärkten mich in meinen Ansichten nur noch
mehr.

Die neuen Farcen des Leopoldstädter=
theaters sind streng genommen sammt und
sonders korrupte Erzeugnisse ohne Plan und

Zusammenhang; allein eigentliche vis comica
ist ihnen dessenungeachtet keinesweges abzu=
streiten, und mehr noch lernt man das a n =
g e b o r e n e Talent jener Theaterdichter ach=
ten, wenn man wahrnimmt, wie ungemein
sinnig sie der Individualität ihrer Schauspieler
in die Hände arbeiten und wie sehr genau sie
den Geschmack ihres Publikums studirt haben;
wenn diese Farcen auswärts nicht immer das=
selbe Glück machen, wie in loco, so kann es
ihren eigenthümlichen Werth nicht beeinträchti=
gen, und man sollte nie vergessen, daß der
Dichter ursprünglich einzig und allein nur für
d a s W i e n e r L e o p o l d s t ä d t e r t h e a t e r
gedichtet vel quasi — geschrieben hat.

Der talentvollste, witzigste und umsichtigste
unter den drei zuletzt erwähnten Herren
bleibt unstreitig A. B ä u e r l e; auf anderm
Boden und in andern Umgebungen wäre auch
aus diesem Manne vielleicht ein M o l i e r e
oder K o t z e b u e geworden, in der Leopold=
stadt aber wird und muß er ewig — ein
B ä u e r l e bleiben.

Dieser Herr A. B. ist ein schöner Mann,

steht in des Lebens Sommer, hält auf feinen Anstand und Garderobe und bleibt auch außer feiner Sphäre als glühender Patriot, humoristischer Gesellschafter und dienstfertiger Mann sehr beliebt; allein:

Baut Muse ihren Tempel noch fo klein,
Es schleicht Kabale doch gewiß fich ein.

Als Bäuerles blöder Ritter zum erstenmale gegeben wurde, hatte eine gewisse Partei, ohne das Stück weder zu kennen noch gesehen zu haben, fest beschlossen, es auszupochen, allein es blieb bei einem fruchtlosen Versuche; denn man muß den Leopoldstädtern zugestehen, daß ihnen, wenn auch weniger Geschmack, doch mehr Konsequenz und Gerechtigkeitsliebe beiwohnen, als manchem superfein gebildeten Publikum in Teutonia.

Meißl hat auch mehrere Farcen geschrieben, die sich sehr beliebt machten, besonders bleibt in der neuesten Zeit seine Fee aus Frankreich fortdauernd ein einträgliches Kastenstück.

Herr A. Gleich ist der fruchtbarste von allen, allein seine Zeit ist vorüber.

Fiacker.

Ihre Anzahl beläuft sich jetzt in **Wien** beinahe auf 700; sie stehen von früh Morgens bis spät am Abend in den verschiedenen weitläufigen Theilen der Stadt und Vorstädte sehr zweckmäßig vertheilt, Jedermann zu Diensten, und ihre Wagen sind größtentheils bequem und elegant. Ihre Pferde scheinen in der Regel nicht viel leisten zu können, allein der Schein trügt auch hier; denn diese Schindmähren laufen wie die ledigen Teufel, und die Wagenlenker bei den berühmten Circensischen Spielen der alten Roma konnten in ihrem Fache wahrlich und unmöglich größere Kunstfertigkeit entwickeln, als ein **wiener Fiacker**. Man staunt, wenn man diese Bursche in vollem Laufe mit ihren seltsam kurz gespannten Wagen durch die engen, kur-

zen und menschenerfüllten Straßen der eigentlichen Stadt jagen sieht; sie verstehen auf dem
Raume eines Suppentellers umzukehren, und
fahren so dicht neben und gegeneinander, daß
kaum so viel Spatium, als ein Scheermesser
benöthigt, sie trennt, und dennoch hört man
selten von Unglück. Die Kunstfertigkeit der
herrschaftlichen Kutscher selbst steht in der Regel jener der Fiacker nach, und man muß vor
glänzenden Equipagen des hohen Adels mehr
als vor Lohnwagen auf der Hut sein.

Die Fiacker sind numerirt, und stehen alle
unter einem eigenen Polizeikommissär; dieser
macht mit den Burschen, wenn Klagen ein-
laufen, wenig Federlesens; der Fiacker behält
beinahe stets Unrecht, und kann zu einer
Tracht von 15 bis 25 Hieben gelangen, ohne
eigentlich recht zu wissen — wie.

Nicht nur in der Stadt und den Vorstädten, sondern auch zu Touren von mehrern
Meilen auf das Land kann man sich des
nächsten besten Fiackers bedienen. Taxen sind
ihnen aber nicht vorgeschrieben, doch kommt
derjenige, welchen die eigenthümliche lingua

rustica als einen ächten Wiener ankün=
digt, leicht und billig zu Rechte; ich sah einen
solchen für eine Fahrt nach Schönbrunn
und zurück nicht mehr als 3 Gulden W. W.
bezahlen, doch bestimmt sich der Preis nach
dem Wetter und besondern Anlässen; dem
Fremden ist übrigens sehr zu rathen, bevor
er sich in den Wagen setzt, förmlich zu ak=
kordiren.

In= und ausländische Roués setzen sich
zur Abendzeit häufig mit Dirnen eines ge=
wissen Gelichters in Fiacker, und bestellen eine
Porzellanfuhre; der Kutscher fährt bei
solchen Gelegenheiten im Schritte so lange
planlos in menschenleeren Stadtgegenden um=
her, bis ihm zu halten, oder einem andern
Takte zu folgen geboten wird. Für solche
Spazierfahrten soll aber sehr reichlicher Lohn
erheischt werden.

Man erzählte mir von einem in der That
sehr komischen Irrthume. Ein anständiger
Beamter der k. k. Porzellan=Fabrik
war mit seiner Gattin bei einem Freunde in
der Stadt zum Abendbrot geladen, nach

deſſen Beendigung er, da ohnehin Regenwetter und eine tiefe Finſterniß eingetreten waren, in einem Fiacker nach Hauſe zu gelangen gedachte.

Der Beamte wies den Kutſcher an, nach der Porzellanfabrik zu fahren, allein da dieſer die Pferde ſo läſſig antrieb, daß man kaum von der Stelle kam, rief jener unwillig aus dem Schlage, ob er ihn nicht verſtanden? — „Ganz wohl!" erwiderte der Fiacker und fuhr nun noch langſamer. Der Beamte legte, auf der Gattin Zureden, ſeiner Ungeduld Feſſeln an, allein als man bereits beinahe eine Stunde im Wagen geſeſſen und trotz der Schneckenpoſt, nach des Beamten Dafürhalten, die in der Vorſtadt Roßau gelegene Porzellanfabrik längſt erreicht haben ſollte, hielt ſich dieſer nicht länger und ſprang aus dem Wagen. Man befand ſich in einer ganz entgegengeſetzten Sphäre, und jetzt klärte ſich der Irrthum zu nicht geringem Aergerniß des ehrbaren Ehepaares auf, der arme Fiacker aber erhielt ſtatt des erwarteten reichen Loh= nes — nur Schimpf= und Schandreden.

17

Die Spinnerin am Kreuze.

Unfern der Linie, an der Landstraße nach Baden und Steyermark, erhebt sich ein altgothisches, ungefähr 25 Fuß hohes und 5½ Fuß im Durchmesser haltendes, ganz von Steinen aufgeführtes Monument: zur Spinnerin am Kreuze genannt; man erfreut sich an dieser Stelle einer schönen und in der That ungemein überraschenden Aussicht nach der Kaiserstadt und ihren Umgebungen hin.

Drei Stufen führen zu dem Denkmale, und man erblickt zwischen dem hohen und schmalen Bogen, in Mitte desselben Christum am Kreuze und mehrere andere Figuren, unter denen man eine weibliche hinter dem Spinnrade unterscheidet, daher die Benennung.

Ueber die Entstehung dieses Monuments giebt es verschiedene Volkssagen; die gewöhn= lichste unter denselben versichert, es habe hier im zwölften Jahrhundert eine edle Maid von ihrem nach Palästina ziehenden Ritter Abschied genommen und sofort das unsinnige Gelübde abgelegt, an dieser Stelle so lange und zwar unter freiem Himmel zu spinnen, bis der Ge= liebte wieder zurückgekehrt.

Die gute Jungfrau spann manches liebe Jahr, wurde öfters naß und wieder trocken, bis endlich der treue Ritter kam und sie samt dem Rocken als eheliches Gemahl nach seiner Burg abführte, nachdem er vorerst noch jenes Denkmal gesetzt.

Einige lose Vögel aber geben das Mähr= chen in einer andern Manier; diese nämlich versichern, es habe an der bezeichneten Stelle im zwölften Jahrhunderte, neben einem dich= ten Busche, ein unscheinbares hölzernes Kreuz= lein gestanden, neben welchem manchen lieben Tag ein wunderschmuckes Dirnlein, Namens S a b i n e, gesessen.

17 *

Allein die Sabine war eine leichtfertige
Kreatur und spann nur des Scheines halber,
dagegen liebäugelte sie mit den häufig hier
nach dem gelobten Lande vorbeiziehenden alten
und jungen Rittern; die Herren Kreuzfahrer
sollen auch häufig hier abgesessen, und nach=
dem der Streithengst am Kreuzlein befestiget
worden, mit der schönen Sabine in den na=
hen Busch geschlichen sein.

Die Dirne verdiente auf diese Art manchen
schönen Batzen, allein nachdem sie unzählige=
mal nach dem Busche geschlichen, wurde sie
am Ende eine alte Schachtel, und sie mochte
spinnen und liebäugeln, so viel sie immer
wollte, es saß kein junger noch alter Ritter
mehr beim Kreuzlein ab.

Nun empfand die Sabine, wie das so zu
kommen pflegt, plötzlich Gewissensbisse, sie
ging in ein Kloster, nachdem sie vorher das
ersparte Sündengeld zu Errichtung eines Denk=
mals ihrer Schande verwendet.

Man will hier nicht untersuchen, welcher
Tradition mehr Glauben beizumessen und ent=
scheidet sich, ohnehin gewohnt, bei jedem Dinge

die anmuthigere Seite zu zeigen, unbedingt
für die erstere Erzählungsart, weil geschrie=
ben steht:

"Es liebt die Welt das Strahlende zu schwärzen,
Und das Erhab'ne in den Staub zu ziehn 2c."

Gasthöfe, Kaffechäuser, Bier=
schenken, Tanzsäle.

Viele Reisende, welche über Wien geschrieben,
haben dieses Kapitel mit der Lieferung eines
sogenannten Speisezettels angefangen,
welche Verzeichnisse sich durch ihre Reichhaltig=
keit nicht minder als durch eine höchst selt=
same und eigenthümliche Benennung der Ge=
richte und die lächerlichste und fehlerhafteste
Ortographie auszeichnen.

Dem Leser den Mund wässerig zu machen
und, nach dem Beispiele meiner Vorgänger,
einen oder ein halb Dutzend Wiener Speise=
zettel abdrucken zu lassen, kann ich mich nicht
entschließen.

Die angenehme und gesellige Sitte, an
table d'hôte zu speisen, kennt man in der
Kaiserstadt gar nicht; wenn der Mittag nahet,
versammeln sich in den Sälen der Gasthöfe
die Gäste einzeln, jeder studirt sogleich nach
seinem Eintritte mit feierlichem Ernste den
Speisezettel in succum et sanguinem, dann
wird dem Heißhungerigen Gesottenes, Gebra=
tenes und Gebackenes in Hülle und Fülle auf=
getragen und von ihm mit bestialischer Ge=
fräßigkeit und unter tiefem Stillschweigen alles
verzehrt. Durch nichts ist der Wiener leichter
zu reizen und sein Zorn heftiger zu entflam=
men, als wenn er im Gasthofe nicht schnell
genug mit Speisen versorgt wird. Die Gesell=
schaft ist beinahe allerwärts sehr vermischt, und
ich rathe keinem gebildeten Fremden, den Ver=
such zu machen, in diesen Aubergen eine ver=
ständige Conversation einleiten zu wollen.

Die so oft gerühmte wiener Küche wird,
vorzüglich anfangs, schwerlich einem anständi=
gen Reisenden vom Rheine her oder aus
Norddeutschland sehr behagen; die Speisen
werden nicht sorgfältig und oft sehr schmutzig

bereitet und ihnen fehlen meistens Kraft und
Würze. Dem Wolfe und der Hyäne gleich liebt
der Wiener vieles und allerlei durcheinander
zu verschlingen, doch den Gehalt der Atzung
zu prüfen kommt ihm selten in den Sinn,
und nur in einigen Privathäusern wird gut,
an allen öffentlichen Orten beinahe dagegen
schlecht gespeist.

Abends während der Theaterzeit bleiben
die meisten Gasthöfe ziemlich leer, und erst
gegen 10 Uhr füllen sich die Säle; es wird,
wie Mittags, gespeist, doch gewinnt nun,
wenn die Bäuche gefüllt, die Unterhaltung
beim Glase Wein einen etwas lebhaftern Ka=
rakter, deren Gegenstand aber stets derselbe
bleibt; man hört nämlich von nichts anderm,
als vom Kasperl, oder von Pferden, Hun=
den und Huren sprechen, höchstens spendet ein
erbärmlicher Spaßmacher etliche abgedroschene
Anekdoten.

Es giebt in Wien Einkehr= und
Speisewirthshäuser; nur in den erstern
kann der Fremde wohnen und es bleibt un=
ter ihnen der schwarze Adler in der Leo=

poldstadt empfehlungswerth, denn sind dort
auch die meisten Stuben sehr klein, so herrscht
nichts destoweniger Reinlichkeit, welche in sehr
vielen E i n k e h r w i r t h s h ä u s e r n fehlt, und
der Fremde wird billig behandelt.

Unter den S p e i s e w i r t h s h ä u s e r n behagte mir das in der Kärnthnerstraße, zum
E r z h e r z o g K a r l genannt, am besten;
man findet dort eine noch am wenigsten ver=
mischte Gesellschaft und Alles zeigt einen noblen
Anstrich. Im Entree giebt man, wie in einigen
Theatern oder bei Redouten üblich, Stock und
Hut gegen eine Marke ab, was in W i e n
eine keinesweges überflüssige Maaßregel bleibt,
denn mir selbst wurde gleich am zweiten Tage
meines Aufenthaltes an einem öffentlichen Orte
der Hut entwendet.

Am meisten fiel mir auf, daß selbst Ka=
valiere und Staatsdiener zu W i e n sich nicht
schämen, H u r e n, die sie im Kasperltheater
oder auf der Straße aufgegriffen, Abends mit
in den Gasthof zu bringen; ein solches Erscheinen der H e t ä r e n befremdet keinesweges,
und ich hörte unzähligemal anerkannte Freu=

benmädchen in dieser Lage von den anständig=
sten Leuten: Ihro Gnaden nennen.

Den braunen Hirsch in der Stadt
und das goldene Lamm in der Leopol=
der Vorstadt besuchen die Huren Abends
auf eigene Faust, und vorzüglich das Treiben
im benannten zweiten Gasthofe einmal mit an=
zusehen, verlohnt der spaßhaften Mühe wohl.

Unter ungefähr 70 Kaffeehäusern, welche
sich in Wien und seinen Vorstädten befinden,
sind mehrere in der That so elegant und
zweckmäßig eingerichtet, wie man es in nord=
deutschen Hauptstädten nur selten zu sehen ge=
wohnt ist, und es bleibt dem Fremden hier
vorzugsweise das Wagnersche Kaffeehaus
an der Leopoldstädter=Brücke zu empfehlen.
Bier darf in solchen Häusern nicht geschenkt
werden, sondern es kann nur Kaffee, Thee,
Chokolade, Punsch, Limonade, Mandelmilch,
Liqueurs, Gefrorenes u. dgl. gefordert werden.
Unter den Billardspielern findet man hier
viele und große Virtuosen, welche häufig ein=
zig und allein von der grünen Tafel leben,

daher Fremde auch leicht in die Schlingen
solcher Chevaliers d'Industerie fallen.

Oeſtreich iſt ein Weinland, allein es wird
in Wien nichts beſtoweniger viel Bier ge=
trunken, und man zählt mehr als 500 öffent=
liche Häuſer, in welchen dieſes Getränk ge=
ſchenkt wird. Alle Biere in Wien ſind
ſchlecht und nicht viel wohlfeiler, als der ge=
wöhnliche Wein, man zählt für die beſſern
Sorten 30 bis 40 Kreuzer pr. Maaß; das
ſogenannte baierſche Bier ſchmeckt ſchaal und
kraftlos, wie beinahe in Norddeutſchland der
Koffent, das Kaiſerbier aber verurſacht Kopf=
weh.

In einem Bierhauſe, welches ſich unter
die beſſern zählt, bleibt die Flötenuhr
conditio sine qua non. Eine ſolche Uhr
leiert alle halbe Stunden ein und daſſelbe
Stückchen, jetzt meiſtens von Roſſiniſcher Com=
poſition, und die hirnloſen Herren Biergäſte,
welche vier bis fünf Stunden auf einem
Fleckchen ſitzen bleiben, ergötzen ſich ungemein
daran, die nämliche Leierei ein dutzendmal
nach einander zu hören. Die Bierwirthe ſetzen

einen großen Werth darein, eine solche Spiel=
uhr zu besitzen, und mir wurde ein hospes
nahmhaft gemacht, der einem reichen, alten
Wüstlinge die Ehre seiner jungen, reizenden
Gattin förmlich für eine Spieluhr verhandelte.

In den mehrern Kaffeehäusern, so wie in
allen Bierschenken, wird ungemein stark Ta=
back geschmaucht; köllnische Tonpfeifen sind
hier nicht üblich; die Aufwärter präsentiren
den Gästen irdene mit langen wilden Weich=
selrohren versehene Pfeifenköpfe, in welche er=
stere jedesmal eine reine Pose gesteckt wird,
eine für Raucher in der That angenehme und
bequeme Einrichtung.

Tanzsäle in der Stadt sowohl als in den
Vorstädten findet man viele; unter die be=
rühmtern in jener gehört die Mehlgrube
und in diesen der Sperl. Ich besuchte die
genannten Orte einmal, fand aber nirgends
eine erbaulichere Gesellschaft als in den berüch=
tigten Berlinertanzkneipen bei Dietrichs,
Talchos, Henkels u. s. w. Die wiener
Tanzsäle werden vom Mittelstande häufig,

mitunter auch von vornehmen Wüstlingen, am
häufigsten von den verworfenen des weiblichen
Geschlechts besucht.

Schaubühnen.

Ich wittere Journalistenluft und
will mich kurz fassen, denn wer
Wiens fünf Theater und deren Mitglieder
von außen und innen nicht kennt, der muß
nie Morgen=, Abend=, elegante,
gesellschaftliche, freimüthige, ästhe=
tische, merkurialische und inferna=
lische Blätter gelesen haben.

Das k. k. Theater in der Burg hat ein elen=
des Lokal, viele recht wackere Künstler und
darunter alte podograische junge Lieb=
haber und betagte junge Liebhabe=
rinnen *), herrliche Garderobe und Deko=

---

*) So wie nur fähige, jugendliche Gäste auf den
   Brettern dieser Bühne erscheinen und Beifall fin=
   den, werden von Seite der mimischen Vete=

rationen, in letzter Instanz einen k. k.
Oberst=Kämmerer als Vorstand, der sich häu=
fig und gerade jetzt in der Vakanz befindet,
einen k. k. Hofrath als Kommissär und
Direktor, und endlich ein gar pfiffiges und
umsichtiges Fac-totum in der Person des
Th. Sekretärs Schreyvogel, dem gebil=
deten großen Publikum unter dem Namen
West, als Uebersetzer des Calderon von
einer vortheilhaften Seite allgemein bekannt.

Zum erstenmale im Begriffe, im Burg=
theater das Parterre aufzusuchen, erinnerte ich
mich an sämmtliche Labyrinthe des Alter=
thums, an das ägyptische, das kreten=
sische und an jenes zu Clusium oben=
drein; denn hinsichtlich der Bauart
ist das angeregte im eigentlichen Sinne des
Wortes ein — Winkeltheater, doch blei=
ben die Schröder und Hr. Anschütz mit
seiner Gattin bedeutende Zierden desselben; des

-----

teranen sogleich solche wohlüberlegte und wirk=
same Intriguen eingeleitet, daß die Direktion in
der Regel nicht mehr daran gehen mag, ersprieß=
liche Acquisitionen zu machen.

letztern Lear zu bewundern, verlohnt allein
einer Reise nach der Kaiserstadt.

Das Burgtheater hat sich auf eine ge=
wisse, höchst seltsame Art, in der neuesten
Zeit, wie man zu sagen pflegt, die Hände
gebunden; ein welscher Spekulant hat das
Theater am Kärnthnerthore gepachtet,
wogegen sich aber die Burgbühne anhei=
schig machen mußte, keine Musik, keine Chöre,
noch Ballete und was dem ähnlich ferner auf
ihre Bretter zu bringen, wie ich denn hier
auch die Hussiten vor Naumburg zum
erstenmale ohne Chöre aufführen sah —
risum teneatis! — —

Das Theater am Kärnthnerthore hat
schon eine vortheilhaftere Bauart, als das
an der Burg, das erstere bleibt größtentheils
der deutschen Oper und dem großen Ballete
gewidmet; das Orchester ist vortrefflich, allein
sehr bedeutende Sänger oder Sängerinnen
besitzt die Bühne in diesem Augenblicke nicht.
Die Ballete sind geeignet, die Sinne zu be=
stechen; ein paar Solotänzerinnen — vorzüg=
lich die Milliere — verdienen in ihrem

Fache ausgezeichnete Künſtlerinnen genannt
zu werden, doch kann keine der liebenswür=
digen Lemiére zu Berlin gleich geſtellt
werden, und noch viel weniger vermögen die
hieſigen Solotänzer mit Hoguet zu wett=
eifern.

Das Theater an der Wien (hier Wie=
den genannt) wurde von Schikaneder in
den letzten Jahren des vorigen Jahrhunderts
erbaut und iſt unſtreitig das ſchönſte und
größte, welches die Kaiſerſtadt beſitzt. Die
Bühne an der Wien iſt gegenwärtig an den=
ſelben welſchen Spekulanten verpachtet, wel=
cher über das Theater am Kärnthnerthore ge=
bietet. An der Wien werden große Spek=
takelſtücke, Opern, Luſtſpiele und Ballete auf=
geführt, doch ſeit Herr Küſter, aus Ver=
zweiflung, weil die Verfälſchung ſeines Kon=
traktes entdeckt wurde, ſich entleibt hat, be=
finden ſich außer einem Herrn Demmer bei
dieſer Bühne ſehr wenige gute Schauſpieler
und Schauſpielerinnen; ich ſah während mei=
ner Anweſenheit ein ſogenanntes chineſiſches
Ballet, Kiaking betitelt, mit ungewöhnli=

cher Pracht hier darstellen; die glänzende Gar=
derobe, eine Legio höchst reizender Figuran=
tinnen, Tänzer und Kinder, dann die sinnig
erdachten und glücklich ausgeführten Gruppen,
Evolutionen, Waffentänze u. s. w. waren in
der That karakteristisch und gewährten einen
ungewöhnlichen Effekt.

Das berüchtigte Theater in der Leopold=
stadt wird jetzt von den Gläubigern der vo=
rigen, verschwenderischen Besitzer administrirt;
Bühne und Haus sind nichts weniger als ge=
räumig, und das letztere wird zu Gunsten der
Freudenmädchen nicht erleuchtet; die Di=
rektion vertheilt an eine gewisse Zahl dieser
Dirnen für jede Vorstellung Freibillete, und
bezweckt dadurch in der That, sich täglich ei=
nes zahlreichen Zuspruches zu erfreuen. Ueber
den Gehalt der eigenthümlichen Stücke, welche
hier gegeben werden, ist bereits anderwärts
die Rede gewesen. Die Person des ersten
Lustigmachers ist stets die Axe, um welche sich
Alles dreht; diese komische Personage hieß sonst
Kasperl; diesen Namen hat sie nun zwar
verloren, allein ihr Karakter bleibt stets der=

selbe. Der jetzige Lieblings=Kasperl der Wiener nennt sich Raimund; allein mir wurde nicht begreiflich, wie es möglich, über diesen Mann bis zum Ersticken zu lachen. Seine platte, monotone Manier ändert sich nie; er rennt wie ein Toller auf der Bühne umher, so daß man mit jedem Augenblicke befürchten muß, ihn über den Soufleurkasten stürzen zu sehen, und sprudelt in dem gemeinsten Volksdialekte die Worte dermaßen schnell und seltsam hervor, daß Fremde ihn unzähligemal gehört haben können, ohne je eine Sylbe verstanden zu haben; der gebildete Norddeutsche glaubt eine ausländische Sprache zu hören und bedarf eines Dollmetschers, der ihm diese Töne auslegt, die Herr R. schreiend und unter widerlicher Verzerrung des Gesichts ausstößt. Besser noch gefiel mir das komische Spiel des ältern Kasperl, der J. Schuster heißt, jetzt aber durch seinen jüngern und glücklichern Rivalen sich beinahe verdrängt sieht. Unter den Damen zeigt Demoiselle Ennöckel viel natürliches Talent, schade, daß sie in keine bessere Schule gerieth, denn diese

18

Schauspieler und Schauspielerinnen können
nicht wohl auf Bühnen des gebildetern gro=
ßen deutschen Vaterlandes erscheinen, da sie
beinahe alle die lingua rustica Oestreichs und
in Provinzialismen sprechen, die nur der Ein=
geborne versteht; ein einziges Mitglied dieser
Bühne, Demoiselle B e n d a, aus Berlin ge=
bürtig, spricht — ein zartes Lämmlein unter
den Wölfen — reines Deutsch, und stellt ge=
wöhnlich die Fee dar, welcher nur in wenigen
jener Lokalpossen fehlt.

Im Parterre und auf der Gallerie noble
ja selbst zuweilen in Logen, kann man im
Theater der Leopoldstadt allerwärts Gruppen
erschauen, ob welchen die Unschuld, wenn eine
solche ja dieses Haus beträte, erröthen müßte.

Während des Zwischenaktes bieten Kerle
in Livreen gekleidet, laut und monoton schreiend,
Konfitüren an, auch lassen sich diese Bursche
alle als Kuppler gebrauchen. Ferner befindet
sich in dem Hause eine häufig besuchte Bier=
schenke, so wie auch auf dem Juhe beständig
Bier geschenkt, und Würstel mit Gren (Meer=
rettig) verspeist werden.

Doch würde man sehr irren, wenn man
glauben wollte, es würde das Theater der
Leopoldstadt nur vom Pöbel besucht, im Ge=
gentheil sieht man nach beendigter Vorstel=
lung stets eine Menge der vornehmsten Herr=
schaften die Logen verlassen, und ihre glänzen=
den Equipagen besteigen. Von einem Für=
sten Kh. wird behauptet, er fehle seit dreißig
Jahren auch nicht einen einzigen Abend im
Leopoldstädter Theater. Einst hatte der edle
Kunstkenner siebzehn Tage nacheinander den
Prinzen Schnudi und die Prinzessin Evakathel
gesehen, und als er hierauf am achtzehnten
Tage erkrankte, rief er dem herbei geeilten
Doktor ängstlich zu: Machens halt nur, daß
i auf'n Abend in den Schnudi fahren kann,
i will gern — und —, aber wenn mir der
Schnudi entging, wär i halt untröstlich."
Das Treiben in diesem Theater karakterisirt
die Wiener ganz und gar, allein man muß
dieses Treiben an Ort und Stelle mit an=
sehen, beschreiben läßt es sich kaum.

Das fünfte und letzte Theater in der Jo=
sephstadt stellt sich ungemein ärmlich und

18 *

in jeder Hinsicht gar unter aller Kritik dar;
das Haus ist klein und wird wenig besucht.
Ich wohnte in der Josephstadt — denn
sehen muß man Alles — der Aufführung eines neuen musikalischen, großen Quodlibets
bei, betitelt: „das Leben ein Rausch."
Die Handlung war eingetheilt in einen Bier-,
Branntwein-, Wein- und Punsch-
rausch; die Exposition wird mir der Leser
gern erlassen.

Noch einmal lockte mich die Ankündigung
des Freischützen (!) ins Theater der Josephstadt; es war aber nicht der M. v. We-
bersche Freischütz, der hier gegeben wurde,
sondern ein schon sieben Jahr altes, aber
gleichfalls nach dem bekannten Apelschen
Mährchen bearbeitetes Schauspiel mit Gesang
von Herrn A. Gleich. Die Darstellung war
elend, die Komposition, aus der Fabrik eines
wiener Kapellmeisters, noch elender, allein
nichts destoweniger überzeugte ich mich zu meinem großen Erstaunen, daß Herr A. Gleich
nach dem einmal gewählten Stoffe größtentheils ganz dieselben Theatercoups und Effekte

zu motiviren wußte, wie in der neuesten Zeit
ganz nach demselben Stoffe der große und
gefeierte Dichter Herr Friedrich Kind.

Als der Freischütz in der Josephstadt den
Raubvogel herabgeschossen hatte, wollte sich,
zu großer Belustigung des Publikums, ein der
Vorstellung beiwohnender Hühnerhund durchaus nicht abhalten lassen, denselben pflichtge-
mäß seinem Herrn zu apportiren, denn so wie
in der Leopoldstadt die Huren, haben in
der Josephstadt die Hunde freien Eintritt
ins Theater.

Jetzt steht der Josephstädter Bühne
eine Reformation — hoffentlich eine erprieß-
liche — bevor, da dieselbe der bekannte Herr
Hensler in der neuesten Zeit an sich gebracht hat.

Außer den fünf aufgeführten öffentlichen sollen sich zu Wien noch mehrere
Privattheater befinden, von welchen ich
aber keins kennen zu lernen Gelegenheit fand.

Politische und belletristische Zeitschriften.

Die täglich in Folio erscheinende k. k. privilegirte Wiener=Zeitung erfreut sich eines kaum glaubbaren Absatzes, und da mit ihr zugleich ein Amts= und Intelligenz=blatt verbunden ist, so mag sie in verschiedener Beziehung dem Eingeborenen und den Einwohnern immerhin interessant genug bleiben; allein als eigentliche politische Zeitung hat sie auch nicht den geringsten Werth, indem sie als solche weiter nichts als eine sehr spät vorgenommene und jämmerlich verstümmelte Zusammentragung aus ausländischen Blättern zum Besten giebt.

Der östreichische Beobachter ist auch im Auslande hinlänglich bekannt. Es gab einst eine Zeit, in welcher dieses Blatt geschätzt wurde; allein heutigen Tages erscheint es als eine leibige Apologie einer eigenthümlichen und schmählichen Politik — verächtlich.

Die Volkszeitung endlich, der **Wande=** **rer** genannt, ist ein ächter östreichischer Wanderer, der stets im blauen Nebel umher taumelt, und nie ein erspriegliches Ziel findet.

Unter den schöngeistigen Zeitschriften verdient die ebenfalls im Auslande vielgelesene **wiener,** für Kunst, Literatur, Theater und **Mode** — der Eigenthümer ist ein wirklicher Modenhändler — hier unstreitig die erste Stelle; allein das Blatt wird in der Kaiserstadt, vielleicht gerade weil es taugt, wenig beachtet.

Die Tendenz der von Herrn A. **Bäuerle** redigirten allgemeinen **Theaterzeitung** bleibt so wie jene der **musikalischen** unleugbar eine zweckmäßige, und das Erscheinen dieser Blätter mag Männern vom Fache in gleicher Weise, wie den Dilettanten nützlich und angenehm sein; allein nun ist man mit Aufzählung jener schöngeistigen wiener Zeitschriften, welche einer Erwähnung verdienen, schon zu Ende.

Ein zwar im Oestreichischen viel gelesenes
Unterhaltungsblatt: der Sammler, kann sich
keinem verständigen Leser empfehlen, denn die
Redaktion treibt heillosen Nachdruck und sam=
melt aus frühern Jahrgängen norddeutscher
Zeitschriften ohne Geschmack und sinnige Wahl
nicht selten gerade die schlechtesten Erzählun=
gen, weil diese bei der Censurbehörde am we=
nigsten Anstände finden, und diese fremden und
bereits veralteten Erzeugnisse, obendrein noch
kastrirt, nimmt das kindliche östreichische Publi=
kum voll Geduld als ihm Neues dahin; besse=
res Lob dagegen verdient das von Herrn Rit=
ter v. Seyfried redigirte Notizenblatt, wel=
ches den faulen Sammler stützend begleitet.

Von politischen fremden Zeitungen wird
zu Wien die allgemeine Augsburger
Zeitung am häufigsten gelesen; belletristische
Journale des Auslandes finden sich an den mei=
sten öffentlichen Orten nur sehr sparsam vor.

Anhang.

Entwurf einer Rezension des Meister Fuchs, einem östreichischen schönen Geiste in die Feder diktirt.

Vorerinnerungen des Fuchses.

Etwas haben die Dummen und die Weisen in der ganzen Welt gemein; beide können Wahrheiten nicht vertragen.

Schlechtes Unkraut gedeiht unter allen Zo-
nen und in jedem Boden, darum giebt es im
Oestreichischen eben so gut eine Menge gifti-
ger und einseitiger Rezensenten, wie in Sachsen und Preußen, und ohne magische Kunst
kann ich es mit an den Fingern abzählen, daß
den Wienern mein Meister Fuchs eben
so wenig gefallen wird, als einigen Dres-

denern der Kater und den Pragern
mein bescheidenes Böcklein behagte.

An Grobheit stehen die östreichischen
Rezensenten keinesweges den nord=
deutschen nach, dieses hat schon Blu=
mauer gegen Nicolai, ja die ältere, neuere
und neueste Zeit hat es oft genug ganz klar
und evident bewiesen. Mir macht es nun ein=
mal Spaß, das Loos meiner Schriften im
Voraus zu bestimmen; drum, liebes Publikum!
habe ich dich einige Stunden nicht ganz un=
angenehm unterhalten, so vergönne mir nun
auch wieder diese kleine Freude.

Ich denke, jene Leute, welche den Kater
und Bock gekauft und gelesen haben, werden
auch gegenwärtigen Fuchs nicht verschmähen,
die Wiener schöngeistigen Aftergelehrten
aber werden ihn ungefähr, wenn nicht mit
denselben Worten, doch in ähnlichem Geiste,
wie folgt, bekritteln:

„Es hat endlich auch einmal wieder einem
reisenden Scribifar, der sich Schaden nennt,
und von dem man nicht recht weiß, wem er

angehört, beliebt, uns unglückliche Wiener
durchzuhecheln. Der Mann nannte sein Büch=
lein: Meister Fuchs u. f. w., allein weſſen
Geiſtes Kind dieſer Fuchs ſein mag, — ein
Meiſterſtück wenigſtens iſt er nicht — geht
ſchon aus dem Umſtande hervor, daß er hier
ſogleich nach ſeinem Erſcheinen ſtreng verboten
wurde, da doch die ganze Welt weiß, wie
human und liberal unſere hoch=
preisliche Cenſurbehörde auswär=
tige Schriften beurtheilt.

Der Hr. v. Sch. ſah durch mißfarbige
Brillen; er maßte ſich nach einem Aufenthalte
von wenigen Monaten an, uns Wiener
karakteriſiren zu wollen, und dieſes bleibt auf
jeden Fall eine grenzenloſe Frechheit; denn
Leute wie uns durchſchaut man nicht über
Nacht. Alle Urtheile und Angaben des Hr. v.
Sch. ſind übrigens einſeitig, falſch, oberfläch=
lich, erdichtet, erſtunken und erlogen, und wenn
dieſer ſchäbige Fuchs ſich wieder bei uns blicken
läßt, — er wird ſich zu hüten wiſſen — wer=
den wir uns nicht entblöden, ihm das rothe
Fell über die langen Ohren zu ziehen."

Solche Art zu schreiben, nennen die Oestreicher Humor und Witz und zwar, mit Recht, nur ihnen eigenthümlich.

Schreibt und schimpft, ihr guten Leute, soviel ihr wollt, der weise Oken hatte Recht, als er den Satz aufstellte: „Geistige Pfeile müssen nicht wie metallene criminaliter gerichtet werden, denn ein tüchtiger Mensch kann geistig nicht todt geschossen werden."

Du aber, geneigtester Leser! magst, wenn du einmal in Gesellschaft meines Fuchses, die östreichische Kaiserstadt besuchest, unparteiisch aussprechen, ob mein Thier ein Blinder von der Farbe gesprochen oder nicht? —

Aufgehobene Handschuhe und Ohrfeigen.

Conscia mens recti famae mendacia ridet,
Sed non in vitium credula turba sumus.

Ovidius,

Gerechtes, großherziges, liberales und hu=
manes Publikum!

Der ungemein finnige, rechtliche und gar
wackere Groß = Buchhändler Brockhaus
hat die alt = jesuitische Methode aufgewärmt,
zu dir in einem etwas burschikosen
Tone zu sprechen, und einem solchen Eh=
renmanne nachzustreben wirst du hoffentlich
geringern Lichtern nicht verargen. — Darum
sperre weit die Ohren auf und höre mit Er=
bauung an, was ich mit dir, du viel tausend=
köpfiges Wesen! zu verhandeln habe. Ovids

Sentenz, welche ich oben anregte, heißt auf
gut Deutsch also:

„Lügengerüchte verachtet ein Herz, das fern von
Schuld ist,
Doch wir leihen so leichtgläubig Verläumdern
das Ohr."

Der Verächter der Lügengerüchte bin
ich selbst, denn mir wohnt kein schlechtes Be=
wußtsein bei, den Nachsatz des alten Naso
mögest du zu Schanden machen, allein dich
dazu zu vermögen, hält man für zweckdienlich, dir
eine hell leuchtende Fackel hiermit aufzustecken.

Der preußische General von Ramin,
weiland Gouverneur zu Berlin, sprach einst
bei der Parade zu sämmtlichen Offizierkorps
der Hauptstadt: „Meine Herren! Sr. Maje=
stät der König haben mir allergnädigst aufzu=
tragen geruht, mit Ihnen grob zu verfah=
ren; aber ich bitte Sie, meine Herren! sagen
Sie aufrichtig, kann es wohl in der ganzen
Welt außer mir noch einen gröbern Gou=
verneur geben?" — Wahrhaftig, Ew.
Erzellenz, erwiderte ein junger Prinz, ich
glaube — kaum.

Ich bin bereits mit dem deutschen Jour=
nalisten = und Rezensentengesindel also umge=
sprungen, daß ich, hinsichtlich seiner, mit Recht
eine ähnliche Frage stellen könnte, und du,
o wahrheitsliebendes Publikum! möchtest mir
leicht, wie einst jener Prinz dem Ramin ant=
worten.

Nichts destoweniger bin ich zu der Ueber=
zeugung gelangt, daß ich im Tempel der
göttlichen Grobheit noch nach erkleck=
lichern Fortschritten zu streben habe, und du,
mein Publikum! sollst dich überzeugen, daß
mir eine solche Ueberzeugung keinesweges zu
verargen ist.

Ich habe im Bocksfprunge von
Dresden nach Prag kühn den Handschuh
an die Erde geworfen, und literarische Spie=
gelritter aufgefordert, ihn aufzuheben. Die
Aufforderung blieb nicht ohne Erfolg; allein
ich versprach den groben Klötzen noch
gröbere Keile, und löse hiermit nun
mein Versprechen.

Im Hesperus Nro. 91, sub. dat. 16. April
1822 ist Folgendes zu lesen:

Oeſtreich, am 29. März 1822.

„Der Herr Adolph von Schaden aus
Berlin, der ſich durch ſeinen Katerſprung von
Berlin nach Dresden in letzterer Stadt
böſe Händel zuzog, ſo daß ihm in den
Zeitungen zu verſtehen gegeben wurde, man
werde ihm, falls er wieder nach Dresden
zu kommen wagen ſollte, die Krallen ein we=
nig beſchneiden, hielt ſich dieſen Winter meh=
rere Monate in Prag auf und beſchrieb ſeine
Reiſe unter dem Titel: Bocksſprung von
Dresden nach Prag. Das Buch ward
im Auslande gedruckt und vor einigen Tagen,
als der Verfaſſer bereits nach Wien abgereiſt
war, langten die erſten Exemplare davon an.
Sie wurden indeß ſogleich mit Beſchlag be=
legt, da Herr von Schaden ſich allerlei un=
ziemliche Bemerkungen über Land, Stadt und
Volk darin erlaubt haben ſoll. Unter an=
derm ſoll er auch dem Herrn Kriegskom=
miſſär Schießler, der ihn doch mit zuvor=
kommender Gaſtfreundſchaft aufgenommen hatte,
einige unſanfte Stöße mit ſeinen Hörnern
verſetzt haben. Wenn dem ſo iſt, ſo dürfte

wahrscheinlich auch in Wien nicht nur der
Bocksprung, sondern auch der ganze Bock selbst
mit Beschlag belegt, und letzterer an einen
Ort in Verwahrung gebracht werden, wo es
ihm unmöglich sein dürfte, den projektirten
Eselsprung von Prag nach Wien
(unter diesem Titel soll Herr von Schaden
seine Reise nach letzterer Stadt haben beschrei=
ben wollen) an's Licht treten zu lassen."

Ein niederträchtigeres Lügenge=
webe, als das vorstehende zu entwerfen, er=
kläre ich hiermit für eine reine Unmöglichkeit,
und werde sogleich die kühne Behauptung un=
widerlegbar beweisen:

Ich bin kein Berliner, sondern ein baier=
scher Unterthan und karakterisirter Offizier die=
ses Staates; der Katersprung ist mit
Censurfreiheit eines zum heiligen Bunde ge=
hörenden Fürsten gedruckt und wurde, außer
den östreichischen, in sämmtlichen deut=
schen Landen ungefährdet öffentlich angezeigt
und verkauft. Ich lebte, nachdem der Kater=
sprung erschienen war, noch ein volles halbes
Jahr in Dresden, erschien unangefochten

19

im Publikum, und bin dieses Buches halber
nie in einen bösen Handel verwickelt worden.
Die in Leipzig lebende Frau Gräfin Vitz=
thum=Eckstädt hat zwar gegen das Werk=
lein eine seltsame Erklärung im Korrespon=
denten v. u. f. Deutschland abdrucken lassen,
allein ich habe diese Erklärung bereits im
Bockssprunge sattsam beantwortet. Was nun
diesen Bockssprung betrifft, so wird Jeder=
mann, der ihn liest oder gelesen, mir gewiß
gern eingestehen, daß es unmöglich ist, ein
Land, Stadt und Volk glimpflicher und be=
scheidener zu würdigen, als in demselben mit
Böhmen geschehen.

Die schändlichste und allerhämischste Bemer=
kung ist jene den Kriegskommissariats=Adjunk=
ten Schießler zu Prag betreffend. Wer
zuvorkommende Gastfreundschaft mit schmäh=
licher Undankbarkeit erwidert, ist ein Schurke;
ich dagegen habe im Bockssprunge dem Herrn
Schießler und seinem Talente die vollste
Gerechtigkeit, nach meiner festen innern Ueber=
zeugung, widerfahren lassen, wovon sich Jeder=
mann selbst zu überzeugen vermag, und ich

fordere hiermit jeden rechtlichen Prager auf,
zu erklären, ob ich mich über diesen Mann
glimpflich ausgesprochen habe, oder nicht.
Wahrlich, wenn der Schießlerischen Muse
von den Hörnern der Rezensentenwelt nie
schlimmer mitgespielt wird, kann sie stets sehr
zufrieden sein.

Einen Eselsprung zu unternehmen oder
zu schreiben, war ich nie gewillt, denn einen
solchen Sprung auszuführen, hätte mir der ge=
sattelte Hesperus zu Gebote stehen müssen;
allein ich fürchte, hätten auch noch ein halb
Dutzend Journalisten ihre lendenlahmen Hip=
pogryphe vorgespannt, mit dieser traurigen
Kalvalkade schwerlich Wien erreicht zu haben.

Uebrigens vermuthe ich, daß jener Schmäh=
artikel dem Hesperus von keinem Oest=
reicher, sondern von einem heimtücki=
schen Böhmen aus Prag eingesendet
worden ist, dessen Absicht war, mir in Wien
böse Händel zu bereiten; allein der Plan
schlug fehl, denn ich lebte in dieser Kaiserstadt
eben so ungefährdet wie in Dresden.

Der Redakteur des Hesperus, Hr.

19 *

C. André, aber muß, wenn ihm anders ein Fünkchen Ehrgefühl beiwohnt, sich schämen, dem Geifer eines namenlosen boshaften und verläumderischen Schurken, ohne vorherige genauere Prüfung, eine Stelle in seinem Blatte eingeräumt zu haben. Dixi! —

* * *

Elegantchen zu Leipzig hat wie gewöhnlich auch dieses Jahr eine Uebersicht der zur Ostermesse erschienenen neuen Bücher geliefert.

Der neueste Romanen = Cyclus, meint Elegantchen, enthalte zwar viel Wunderliches und Wunderbares, worüber man — sehr weise! — lieber ganz schweigen wolle, nur könne man durchaus nicht mit Stillschweigen übergehen, — sehr verbunden! — daß ein gewisser Adolph von Schaden, den Kampf der Griechen mit einer leipziger Jungemagd (Stubenmädchen) in Verbindung gebracht habe, weil jener gewisse A. v. Sch. ein Buch herausgegeben, welches sich betitle:

„Theodora, die leipziger Junge=
magd, ein Originalgemälde hel=
lenischen Hochsinnes und türkischer
Barbarei, aus der ersten Epoche der
Insurrection auf Morea."

Elegantchen bedauert nur — sehr
mitleidig! — daß die guten Griechen von
dem Werke schwerlich Notiz erhalten würden,
und schließt mit dem bedeutenden, nagelneuen
Stoßseufzerlein: O tempora!

Elegantchens Redakteur, der gute,
alte Herr Methusalem Müller, kennt
jenen gewissen Adolph von Schaden
recht wohl, indem er mit dessen „Brie=
fen eines deutschen Offiziers aus
Frankreich" schon im Jahre 1816 so
manche Nummer seines Blattes gefüllt, und
in der Folge mit dem Gewissen verschiedent=
lich conversirt und correspondirt hat, nichts
destoweniger aber im Jahre 1821 dem Gewis=
sen nicht bezeugen wollte, daß ich — ich, und
er — er sei, was doch gewiß nicht philo=
sophisch war.

Nun ließ der gewisse A. v. Sch. in

seinem Katersprunge ein pudelnärrisches
Geschichtchen von einem gewissen Methusa-
lemio Hydrocephalo, zu deutsch: „ein ge=
wisser Wasserkopf" abdrucken, welchen
Wasserkopf — sehr unziemender=
weise! — der gewisse Hr. M. Müller
auf sich bezog und — zu meinem höchsten
Bedauern! — darüber viele Thränen vergos=
sen haben soll.

Dieser unselige Irrthum hat nun dem un=
glücklichen A. v. Sch., dessen Werke früherhin
von Elegantchen gar gütig herausgestrichen
wurden, von dem gewissen M. M. einen
Spottpfeil zugezogen, und es ist nur Schade,
daß dieser Pfeil, wie die gewissen M. M.schen
alle, ganz gewiß der Spitze ermangelt.
O Freunde! o Feinde! o Wasserköpfe! o kri=
tische Motive! o Gewißheit! o tempora!
o mores! — —

Noch Tauſend und eine Ohrfeige.

Veſpertinchen zu Dresden erzählte dem
lieben Publikum unlängſt folgendes kindliche
Anekdötchen:

Ein aus Italien gebürtiger Prieſter
war in Deutſchland Seelſorger geworden, ohne
recht der Sprache des Landes mächtig zu ſein.
Bei einer Taufe fragte der gute Mann das
neugeborene Kind: „Entſagſt du dem Teufel
und ſeinem Hofrath (ſtatt Hoffahrt),"
worauf der Pathe ganz ernſt ſein: „Ich ent=
ſage" erwidert haben ſoll.

Mir deucht, jener Prieſter fragte ſo groß
Unrecht nicht, indem ich zu der feſten Ueber=
zeugung gelangt bin, daß der Teufel wo nicht
in ſeiner Hölle, doch ganz gewiß auf Erden
Hofräthe unterhält, wobei ich den geneig=
ten Leſer bitte, in Kürze zu vernehmen, wie
ich zu dieſem ſeltſamen Glauben gelangt bin.

Ein Herr Johannes Langer that
mir auf seinen Reisen nach Norden die Ehre
an, mich aufzusuchen und sofort in der wiener
Theaterzeitung allerlei seltsame Notizen über
mein Pelznegligee, meinen Pudel und meine
Tabackspfeifen abdrucken zu lassen.

Ich fand ein solches Benehmen, nachdem
ich den mir gänzlich fremden Mann doch höflich und zuvorkommend genug empfangen hatte,
unziemend und nahm mir dagegen die Freiheit, dem Herrn J. Langer in meinem ohnlängst erschienenen Bocksprunge ein Nasenstüberchen zu verabreichen. Den wiener
Belletristen scheinen Verstand und Gutmüthig-
keit beizuwohnen, und ich glaube, er hatte die
Pille hintergeschluckt, ohne an fernere Unbill
zu denken, allein eben dieses war gegen den
Plan eines gewissen Teufelshofraths
im S****ischen, dem ich von jeher, der
Himmel mag wissen, warum? ein Dorn im
neidischen Auge war; und was beginnt der
Herr Teufelshofrath? —

Er hatte sogleich nach dem Erscheinen des
Bocksprunges nichts eiligeres zu thun, als

von dem erwähnten Nasenstüberchen eine Ab=
schrift zu nehmen, diese Kopie brühwarm an
den Herrn L. zu senden und denselben drin=
gend aufzufordern, gegen mich einen recht der=
ben und tief verwundenden Schmachartikel zu
verfertigen, wozu der Teufelshofrath selbst die
Materialien liefern, und die Aufnahme des
Pasquills entweder im Brockhausischen Con=
versationsblatte, oder aber in noch einer
andern hochberühmten Zeitschrift
veranlassen wollte.

Der arglose, gutmüthige Herr Johan=
nes theilte das Schreiben, freilich etwas un=
vorsichtig, zu Wien einem meiner bewähr=
ten Freunde mit, einem ehrlichen Manne, der
mich sogleich von der ganzen angezettelten sau=
bern Intrigue in Kenntniß setzte. Siehst du,
gutes Publikum! so wird zu unserer Zeit
im anmuthigen Gefilde der schönen Künste
agirt! — Pfui Teufel über solche Teufels=
hofräthe! —

Dieses wäre eine Ohrfeige! — tau=
send andere stehen jenen hämischen, neidischen
und elenden Kreaturen jeden Augenblick zu

Dienſten, welche nun und nimmermehr müde wer=
den, mich in meinem ruhigen Privatleben mit den
ſchändlichſten Verläumbungen und Kabalen zu
verfolgen — du aber, ſinniges und gerechtes
Publikum! wirſt ohne große Mühe nun die
Quelle jener Schimpfartikel zu entdecken und
zu prüfen verſtehen. ?! — —

Das Ländchen

ob der Enns, Linz und Passau.

Anderweitige Briefe, geschrieben aus Passau nach Norddeutschland im Sommer des Jahres 1822.

I.

Noch, mein theuerster K**! blieb ich Dir die Beschreibung meiner Reise von. Wien nach Passau schuldig, und so klein und unbedeutend sich auch die Route auf der Postkarte darstellen mag, so hoffe ich doch nicht, Dich durch meine Relationen in einen sanften Schlummer zu wiegen.

Mein genialer und inniger Freund, der Baron v. S*r**ris, jener originelle und ehrliche Genfer, von dem ich Dir so oft schon schrieb, ließ es sich durchaus nicht nehmen, mich mit seinen raschen Isabellen und seinem leichten Steyrerwagerl mehr als die Hälfte des Weges zu spediren.

Ich freute mich recht herzlich, endlich der Kaiserstadt, wo es mir im Allgemeinen keinesweges sehr gefallen hatte, zu entrinnen; wir sendeten die Pferde zwei Poststationen vorauf, übernachteten in **Hütteldorf** *) bei einem andern wackern, gemeinschaftlichen Freunde, und suchten am andern Morgen mit dessen raschen Pferden unser vorausgeschicktes **Steyerwagerl** zu erreichen, was uns auch bereits schon in **Sieghardskirchen** gelang. Die **Isabellen** flogen mit dem leichten Fahrzeuge dahin, daß ich in der That, im eigentlichsten Sinne des Wortes, kaum zu Odem kommen konnte, und schon Nachmittags 4 Uhr befanden wir uns zu **Mölk**, obwohl dieser **Marktflecken** nicht weniger als dreizehn Postmeilen von **Wien** entfernt ist.

---

*) Ein freundliches 1½ Stunde von **Wien** entferntes und an der **Linzer** Landstraße belegenes Dörfchen. In der Kirche befindet sich das Grabmal des berühmten Dichters **Denis**. Mehrere wohlhabende **Wiener** besitzen artige Landhäuser zu **Hütteldorf**, unter denen sich das **Liechtensteinische**, noch mehr aber das der Familie **Paar**, mit seinem niedlichen Parke, vorzugsweise auszeichnen.

In St. Pölten, einem hübschen Städt=
chen, wo gewöhnlich der Staab sammt einem
Bataillone des Infanterie = Regiments, wel=
ches sonst Kerpen hieß, garnisonirt, hatten
wir Mittag gemacht. Es wird hier vieler und
ausgezeichnet guter Safran gebaut.

Der Flecken Mölk, an der Mündung der
Mölk in die Donau, liegt in einer sehr ro=
mantischen Gegend. Man findet in der ein=
zigen Straße des Ortes einen Gasthof an dem
andern, und es bleibt beinahe unbegreiflich,
auf welche Art hier ein Dutzend Gastwirthe
subsistiren können. Wir nahmen in einem
Gasthofe Absteigquartier, dessen Besitzer ein
Italiener war, und wo wir, zu unserer nicht
geringen Verwunderung, eine Bedienung und
Unterkommen fanden, wie man es nicht viel
besser in einer der ersten Aubergen Berlins
oder Wiens zu erwarten vermag, aber frei=
lich verstand unser welscher Hauspatron auch
trefflich die großstädtische Kreide zu führen.

Auf der Höhe des Abhanges, an welchem
sich der Flecken Mölk herniedersenkt, prangt

die Benediktinerabtei gleiches Namens nebst
einem herrlichen Tempel.

Wir bestiegen, den Abend zu vollbringen,
den ziemlich steilen Berg; allein es war bereits zu spät, die Kirche, die Abtei, und die
in derselben befindlichen kostbaren Bücher-,
Münz- und Naturaliensammlungen zu beschauen, und wir mußten uns daher begnügen,
in dem weitläufigen, größtentheils noch in
alt-französischem Geschmacke angelegten Garten des Klosters zu lustwandeln, wo wir uns
aber durch eine unbeschreiblich reizende und
malerische Aussicht in's weite hochromantische
Donauthal hinlänglich entschädigt sahen.

Mehrere ältere und jüngere Benedik-
tiner lustwandelten gleichfalls im Kloster-
garten; ich ließ mich mit einem derselben in
ein Gespräch ein, und der ehrwürdige Mann
klagte bitterlich über schwere Zeiten und die
häufigen Abgaben, welche die ohnehin sehr
herabgekommene Abtei an den Staat zu ent-
richten habe. Nur eine Art Gymnasium und
das Unterhalten mehrerer Pensionärs, meinte
der Mann, könne allein mühsam das Kloster

noch vor gänzlichem Verfall bewahren. Mag
sein — allein den dicken Bäuchen und Köpfen
sämmtlicher Herren war weder Noth noch gro=
ßes Mühen anzuschauen.

Wir fuhren am folgenden Morgen über
Kemmelbach nach Amstetten. In dem
Maaße, als man sich der Enns nähert, stellt
die Gegend sich fruchtbarer und romantischer
zugleich dar; eine aufs höchste getriebene Obst=
zucht ersetzt hier den Weinbau. Man brauet
aus dem Obste einen Most, und dieser ist hier
das gewöhnliche Getränk; es mag den Land=
mann in heißen Tagen genüglich stärken und
erquicken, allein dem an Wein oder auch nur
an starkes, wohl gegohrenes Bier Gewöhnten
will dieser Most nicht recht munden, und man
fühlt nach dem Genusse desselben leicht Be=
schwerden.

Ich trennte mich in Amstetten, nicht
ohne Rührung, von meinem edlen Freunde,
dem Baron v. S*r**ris, denn wir dürf=
ten uns wohl in diesem Leben zum letzten=
male gesehen haben; doch der edle Britte
Campbell schrieb:

20

„Wenn treue Freunde das Schickſal, nur um
ſie zu trennen, vereinte,
Warum denn bliebe Erinnerung an ſie dem Herzen
ſo heilig?"

und noch dieſe Worte ſagte ich tröſtend mei=
nem wackern S — s beim letzten Händedruck.

Den kurzen Weg von Amſtetten über
Stremberg nach Enns legte ich mit ei=
nem Lohnkutſcher zurück; man paſſirt den
Strom dicht am Fuße des Berges, auf wel=
chem ſich das Städtchen gleiches Namens be=
findet.

Von ältern Schriftſtellern wird das Städt=
chen Enns für das ehemalige, berühmte,
alte Laureacum (Lorch) der Römer ausge=
geben, allein dieſe Angabe wird bei näherer
Prüfung höchſt verdächtig und unglaubwürdig.

Unter den römiſchen Autoren bleibt Am=
mian Marcellin der einzige, welcher
Laureacums erwähnt; ältere deutſche
Schriftſteller behaupten, daß es die römiſche
Hauptſtadt in Noricum geweſen, welchem
dagegen von Andern geradezu widerſprochen
wird.

. Daß in diesen Gegenden sich das große
Laureacum wirklich befunden, und daß
unsern desselben der Sammelplatz der römi=
schen Kriegsschiffe gewesen, bleibt nicht zu be=
zweifeln; allein heutiges Tages mit Bestimmt=
heit die Stelle der ehemaligen bedeutenden
Niederlassung und deren Grenzen auszumit=
teln, dürfte unmöglich sein.

Historische Gewißheit ist, daß die Her=
zöge von Baiern ungefähr gegen das
Jahr 900, sich vor den häufigen Einfällen der
Ungarn zu sichern, Ennsburg erbauten,
aus welchem das nunmehrige Enns entstand.
Der Ort bietet, wie er jetzt ist, dem sinnigen
Reisenden nichts Interessantes dar; einen ba=
rocken Anblick gewährt ein großer, frei auf
dem Platze dastehender unter Maximi=
lian I. erbauter Thurm.

Enns umfaßt ungefähr 2900 Einwohner.

II.

Von hier an bis zur Grenze wird das
Land: Ob der Enns, oder auch geradezu
Oberöstreich genannt.

20 *

Ich traf in dem Städtchen Enns einen glut-
und talentvollen jungen Maler aus Luzern,
der von dem Ländchen ob der Enns und
seinen Einwohnern mit einer wahren Begeisterung sprach und mich dermaßen neugierig
machte, daß ich mich kurzweg entschloß, mit
ihm einige Streifzüge ins Land hinein und
zwar zu Fuß zu wagen, und ich fand in der
That keinesweges Ursache, die Ausführung des
raschen Entschlusses zu bereuen.

Ein Eldorado im eigentlichsten Sinne
des Wortes schien mir Oberöstreich; die
hohen steyrischen, salzburgischen und
böhmischen Gebirge begrenzen den weiten
Horizont, und Oberöstreich selbst wird ein
Gebirgsland genannt, allein seine Berge
erscheinen nicht als solche, sondern vielmehr
als lachende sanfte Höhen, welche beinahe allerwärts bis auf den Gipfel angebaut sind.

Das ganze Ländchen gleicht einem großen,
schönen Garten; Felder, Wiesen, Thäler und
Auen sind überall mit Obstbäumen bepflanzt,
und die üppigste Vegetation mit ihren dufti-
gen Reizen entzückt allerwärts. Beinahe mit

jedem Schritte wechselt die Aussicht, und das
Auge weiß häufig nicht, wohin es vorerst sich
wenden soll.

Man findet in Oberöstreich nur wenig
eigentliche Dörfer, aber eine Menge zerstreut
liegende größere Höfe, deren Aeußeres mehr
einem Schlosse als einem Bauernhause ähnelt.
Die Gebäude befinden sich beinahe stets in
Mitte der den Bauern eigenen Grundstücke,
zu welchen, außer reichen und weitläufigen
Obstpflanzungen, auch Waldungen und Teiche
gehören.

Der oberöstreichische Landmann erinnert
durch seinen schönen, kräftigen Körperbau,
durch freie Haltung, schlichte Sitten, Gastfreundschaft und das ihm beiwohnende gesunde
Urtheil und natürlichen Verstand ungemein
lebhaft an den Tyroler und Schweizer, und
ist im Ländchen ob der Enns unstreitig unter
allen seinen Brüdern der glücklichste in der
weitläufigen Monarchie; er kennt Knechtschaft
und Frohndienste kaum dem Namen nach und
lebt größtentheils im Zustande der Wohlha=
benheit.

Mancher oberöstreichische Landmann besitzt,
seine Waldungen nicht mitgerechnet, mehr als
200 Jauchert Acker= und Wiesenland, 10 bis
18 schöne, starke Pferde von einer guten
Race, und 40 bis 60 Stück Rindvieh. An
selbst erzeugter Leinwand findet man in
jenen Bauernhöfen Vorräthe, daß dieselben für
die ganze künftige Generation der Familie hin=
reichend zu sein scheinen, und an Obstwein
werden nicht selten in einem Haushalte jähr=
lich 500 bis 600 Eimer gewonnen.

Gastfreundschaft ist eine Haupttu=
gend dieser glücklichen Leute, welche sie in ei=
nem kaum glaubwürdigen Grade ausüben.

Mein neuer, junger Freund aus Luzern
führte mich in mehr als sechs große Bauern=
höfe, in welchen er sich ohne Umstände vor=
erst selbst bekannt gemacht hatte; wir wurden
allerwärts mit inniger Freude und Herzlich=
keit aufgenommen, und diese Landleute ent=
wickelten so vielen natürlichen Anstand, daß ich
in der That staunen mußte; von aller Heuchelei
und Falschheit bleiben sie weit entfernt.

Diese wohlhabenden Bauern treiben die

Gaſtfreundſchaft ſo weit, daß ſie ſehr gewöhn=
lich ihre erwachſenen Töchter auf einige Zeit
zum Kochenlernen in die Stadt ſenden, ledig=
lich um ihre Gäſte anſtändig bewirthen zu
können. Wer einem ſolchen Bauern für die
reichlichſte Bewirthung Geld bieten wollte,
würde ſein Ehrgefühl im höchſten Grade ver=
wunden.

Trotz ſeiner Wohlhabenheit überläßt ſich
der oberöſtreichiſche Landmann nie einem über=
triebenen, mit ſeinem Stande unverträglichen
Luxus; er trägt einen langen, ſchwarzen Rock
von halbfeinem Tuche, einen großen ſchlichten
Hut und einen bunten, oft ſeidenen Bruſtlatz;
die Meubel ſeines Hauſes ſind feſt aber ein=
fach und gewöhnlich ſehr alt, durch die höchſte
Reinlichkeit allein ſtrebt man ſich in Kleidung
und allerwärts auszuzeichnen.

Die Weiber und Frauen entwickeln einen
hohen und üppigen Wuchs, und man erblickt
unter ihnen häufig auffallende Schönheiten;
ihr Koſtüm iſt ſehr karakteriſtiſch; auch ſie
kleiden ſich, mit Geſchmack, größtentheils in
dunkle Farben. Das weibliche Geſchlecht iſt

ungemein munter, feurig, oft recht witzig in
feiner Art, hält aber streng auf Zucht und
Sitte, und allenfalfige Freiheiten, welche fich
der Unbescheidene nehmen möchte, werden un-
fein genug geahndet.

Man findet unter den oberöftreichifchen
Bauern, im eigentlichften Sinne des Wortes,
denkende und fehr richtig raisonnirende Leute.
Meiftens hat der Herr des Haufes für fich
ein befonderes Gemach, welches man mit unfern Studierzimmern vergleichen könnte; we-
nigftens bemerkt man in demselben nicht felten
Sammlungen gemeinnütziger Schriften aus
dem ökonomifchen Fache u. dgl.; ein folcher
Mann fagte mir:

„Sie loben unfere Landwirthfchaft und
wundern fich, bei uns etwas mehr Bildung
zu finden, als man fonft gewöhnlich dem deut-
fchen Bauern zutraut? — Wahr ift es, wir
fchritten einigermaßen vorwärts, allein unfere
Landwirthfchaft ift noch gar großer Vervoll-
kommnung fähig. So bedürften wir in un-
ferer Gegend gar keiner Brache, wir könnten
durch Anbau der Futterkräuter und Einfüh-

rung der Stallfütterung unsere Oekonomien
sehr verbessern; ich und einige meiner Freunde
suchten hierin mit gutem Beispiele vorzugehen,
allein wir fanden geringe Nachahmung, dage=
gen aber häufigen Tadel, denn Eigensinn und
hartnäckiges Hangen an dem Alten und ein=
mal Gewohnten zeichnen den Bauern mehr
oder weniger allerwärts, wenn auch schon nicht
zu seinem Vortheile aus."

Das nenne ich mir doch, von einem Bauern
selbst, vorurtheilsfrei und vernünftig geurtheilt!

Außer den erwähnten großen und reichen
Bauern, giebt es freilich in Oberöstreich auch
noch eine viel bedeutendere Zahl kleinerer und
weniger mit Glücksgütern gesegneter Land=
leute; indeß bleibt in diesem Ländchen nichts
destoweniger ein hoher und ungewöhnlicher
Wohlstand unverkennbar, eine Thatsache, welche
um so größere Bewunderung verdient, wenn
man weiß, daß vielleicht keine unter den Pro=
vinzen der großen Monarchie, in den vielen
aufeinander folgenden Kriegsjahren so hart
und anhaltend mitgenommen wurde, als ge=
rade das Ländchen ob der Enns.

Wein wird jetzt in Oberöstreich, schon seit ungefähr zwanzig Jahren, gar nicht mehr gebaut, denn er allein wollte in diesen anmuthigen und glücklichen Gefilden nie recht gedeihen, weil die Nähe der steyerschen, salzburgischen und vorzüglich der böhmischen Gebirge verursacht, daß das Wetter im Frühlinge und Spätjahre dennoch oft viel rauher ist, als man nach der geographischen Breite des Landes vermuthen sollte.

III.

Man legt den Weg von dem Städtchen Enns nach Linz mit nur einigermaßen guten Pferden leicht in fünf Stunden zurück.

Eine Stunde vor Linz muß man Ebelsberg *), jenen kleinen Marktflecken passiren, dessen Name in der Geschichte neuerer Kriege, durch die ungemein mörderische und furchtbare Schlacht, welche am 3. Mai 1809 der östreichische General Hiller dem Mar-

---

*) Der Ort wird von beinahe allen neuern Schriftstellern und zwar ganz falsch: „Städtchen Ebersberg" genannt.

schall **Massena** lieferte, eine bedeutende Celebrität erhielt.

Ebelsberg liegt unmittelbar an dem rechten Ufer der **Traun**, über welche hier eine 268 Klafter lange Brücke führt. Das alte, bereits im zehnten Jahrhundert erbaute Schloß dominirt die Gegend und gleich hinter dem Marktflecken, gegen **Enns** zu, erheben sich bedeutende Desileen.

Ich beschaute, in Begleitung eines **Ebelsberger** Bürgers, der an jenem verhängnißvollen Tage als Unteroffizier unter **Hiller** gekämpft hatte, das denkwürdige Schlachtfeld, und der verständige Mann wußte mir die verschiedentlichen Stellungen alle mit großer Genauigkeit zu bezeichnen.

Mehrere militärische Schriftsteller haben **Hillers** Dispositionen hinsichtlich der **Ebelsberger Schlacht** hoch erhoben, allein obwohl ich strebe, ganz unparteiisch zu schreiben, kann ich dessenungeachtet, nach genauer Prüfung des Terrains, weder als Taktiker noch Stratege, unmöglich mit in der Herren Trommete stoßen, und ich erinnerte mich an Ort

und Stelle unwillkührlich an gewisse Worte,
welche Schiller seinem Wallenstein in
den Mund legt, und die sich noch ungemein
weiter ausdehnen lassen.

Ja wohl wird manche blutige Schlacht
nicht der Nothwendigkeit halber,
geschlagen, sondern weil der junge oder
alte Feldherr einen Sieg wünscht, oder
sich im schlimmsten Falle wenigstens durch ei=
nen kunstgerechten Rückzug auszuzeichnen hofft.

Die Aufgabe war, der weit überlegenern,
gegen die Traun vorrückenden französischen
Armee den Uebergang streitig, oder vielmehr
ihr möglichst vielen Abbruch zu machen, denn
an ein gänzliches Aufhalten war vernünftiger=
weise gar nicht zu denken.

Das Terrain bot Hillern allerdings
eine sehr feste und vortheilhafte Position an;
allein er ließ sich gleich anfangs dadurch einen
groben taktischen Schnitzer zu Schulden kom=
men, daß er den größten Theil seiner Haupt=
macht vor den Defileen und zwar in
dem Marktflecken selber aufstellte.

Ohne Prophetensinn ließ sich der Erfolg

leicht vorher bestimmen; der schöne Ort mußte
geopfert, die Oestreicher aber, selbst im Falle
der hartnäckigsten Gegenwehr, am Ende durch
Uebermacht dennoch gezwungen werden, sich
durch die ihnen im Rücken liegenden Defileen
zurückzuziehen, in welchen sie von dem Ge=
schütze des nachsetzenden Siegers nothwendiger=
weise bedeutenden Schaden erleiden mußten;
gewonnen konnte durch dieses Manöver nichts
werden, weil der zahlreiche vordringende Sie=
ger auf jeden Fall weniger Verlust an Mann=
schaft hat, als der schwächere sich zurückzie=
hende Theil.

Ein weiser, kalt überlegender Feldherr
konnte hier anders handeln. Hiller mußte
gleich im ersten Augenblick die Brücke, das
Schloß und selbst den Flecken aufgeben, dage=
gen seiner ganzen Hauptmacht eine zweckmä=
ßige Stellung hinter den Defileen
geben.

Der Feind sah sich nichts bestoweniger ge=
zwungen, ihn anzugreifen, allein einer wohl=
geordneten Macht gegenüber mag es keine
Kleinigkeit gelten, durch diese engen, steilen

Schluchten zu defiliren und dann zu deployiren;
es mußte unter dem östreichischen Kanonen=
feuer geschehen und nicht anders hätte es kom=
men können: die Franzosen würden unzählige
Menschen, Hiller dagegen nur sehr wenige
verloren haben, und dessenungeachtet hätte die=
ser nach wie vor in bester, vielleicht in noch
besserer Ordnung, als wirklich geschah, sich
nach Enns zurückziehen können.

Allein bei des östreichischen Feldherrn man=
gelhafter Disposition blieb der Verlust auf bei=
den Seiten gleich bedeutend, und gänzlich
zwecklos waren die Brücke und das schöne
Ebelsberg (es wurde ganz und gar ein
Raub der Flammen) geopfert worden.

Wie furchtbar dort gemetzelt worden sein
mag, läßt sich daraus schließen, daß selbst
Napoleon bei Ueberschauung der Ruinen
und des Schlachtfeldes mehreremal ausgerufen
hatte: „Jamais je n'ai vu un spectacle si
affreux!" *)

---

*) Mehrere Schriftsteller und selbst das Brockhau=
sische Conversationslexikon (siehe Art. Ebers=
berg) legen die Aeußerung einem andern fran=

Heutiges Tages stellt sich Ebelsberg, bereits wieder aufgebaut, als ein freundliches Oertchen dar, welches häufig von den Linzern besucht wird.

An der Traunbrücke werden dem Fremden die Pässe abgefordert, und dieselben durch Siegel und Unterschrift zur Reise nach Linz gültig erklärt, obwohl die Hauptstadt Oberöstreichs von hier nur noch ein kleines Stündchen entfernt ist; Aehnliches passirt uns kaum, wenn wir von Stolpe nach Danzig reisen.

Es war an einem Sonntage gegen Mittag, als ich mich den Linien der oberöstreichischen Hauptstadt nahete; lahme, krumme und bucklige, bettelnde Jammergestalten bedeckten von Ebelsberg an die Landstraße; ein unerfreulicher Anblick und auffallender Kontrast gegen die Industerie und Wohlhabenheit der Landleute, welche ich vor kurzem im Ländchen ob der Enns bewundert hatte.

---

zöfischen General in den Mund, allein daß die Worte ursprünglich Napoleon angehören, weiß jeder gebildete Linzer zu bezeugen.

Endlich war die Linie erreicht, wo der Fremde erst nach dem gewöhnlichen peinlichen Ausfragen und Visitiren, gegen Abgabe seiner Reisepässe, die gnädige Erlaubniß erhält, in die Stadt zu fahren und sein Geld zu verzehren.

Des Jahrmarkts halber war es gerade in Linz sehr lebhaft; viele Fremde befanden sich in der Stadt, und ich sah mich deßhalb gezwungen, im goldenen Stuck *), keinesweges einem der ersten, aber dennoch sehr reinlichen und anständigen Gasthofe mein Absteigequartier zu nehmen.

Ich hielt nach verzehrtem guten Mittagsbrote ein Stündchen Siesta, worauf der Kellner in meine Stube trat und fragte: wann der Gnädige zu jausen und um welche Zeit zu Abend zu essen gewohnt seien?

Zu jausen? fragte ich verwundert, was ist das? — und da kam es denn heraus, daß unter jausen eine dritte Mahlzeit verstanden wird, welche man zwischen dem Mittag= und Abendbrote noch einnimmt.

---

*) Stuck bedeutet hier so viel als — Kanone.

: Du siehst, lieber K**l! daß der Magen auch in Linz nicht vergessen bleibt; ich mei= nes Theiles schlug das sogenannte jausen aus und schickte mich an, das Stadttheater zu besuchen. Lebe wohl, bald ein Mehreres!

IV.

Linz, die Hauptstadt Oberöstreichs, mein theurer K***! liegt am rechten oder südlichen Ufer der Donau. —

: Schon sehe ich Dich, Du methodisches Genie! vom Stuhle aufspringen, und nach dem Bü= cherschranke rennen, um den Gaspari und Dein schundiges Conversations= Lexikon nachzuschlagen. Ich rathe Dir, bleibe ruhig sitzen, denn ich werde in meiner eigen= thümlichen Manier richtigere und interessantere Notizen mittheilen, als Du dort finden dürf= test; doch halt — ich mag meinem Systeme nicht untreu werden, drum vernimm vorerst, was ich Dir in geschichtlicher Hinsicht von jener freundlichen Donaustadt zu berichten habe.

Viele Historiker nehmen das heutige Linz ganz zuversichtlich für das alte Lentium der

21

Römer, welches bei diesen eine der Haupt=
städte in Noricum bildete, die bekanntlich
von den wilden Hunnen und Avaren zer=
stört wurde, obwohl nicht ein einziger triftiger
Grund die erstere willkührliche Behauptung
zu unterstützen vermag; ja so alt Linz auch
sein mag, so bleibt nichts destoweniger gewiß,
daß seine Geschichte nicht weit über das Mit=
telalter hinaus, erst einige Zuverläſſigkeit ge=
winnt.

Schloß, Stadt und Gebiet des heutigen
Linz waren einst das Eigenthum der Grafen
von Kyrnberg, von denen es durch Kauf
im elsten Jahrhundert an die Markgrafen
von Oeſtreich überging. Im Jahre 1490
erst wurde Linz zur Hauptstadt von Ober=
östreich erhoben und in spätern Zeiten ver=
dankte es verschiedenen Regenten mehrere Frei=
heiten und Privilegien.

Eine vorzugsweise denkwürdige Periode in
den Annalen der Stadt bleibt der bekannte
Bauernkrieg des siebzehnten Jahrhun=
derts; Linz wurde von den sogenannten Re=
bellen um das Jahr 1626 unter ihrem An=

führer Stephan Fadinger, und nach deſ=
ſen Tode von Achatz Wiellinger förmlich
belagert, viele ſchöne Gebäude und alle Vor=
ſtädte wurden ein Raub der Flammen. Merk=
würdig und gewiß wenig bekannt iſt der Um=
ſtand, daß der große Mathematiker Johann
Keppler *), welcher ſich zu jener Zeit in
Linz befand, durch den Brand ein ganzes,
ſehr wichtiges Manuſkript verlor, deſſen Druck
bereits begonnen hatte, und welches der un=
ſterbliche Mann nicht mehr zu erſetzen ver=
mochte, da er bald darauf ſtarb.

Im Jahre 1632 erregten die Bauern,
ſchwediſcher Hülfe vertrauend, einen neuen
Aufſtand, und Linz ſah ſich abermals hart
bedroht, allein die donnerſchwangern Wolken
zogen unſchädlich vorüber, ſchnell genug ward
dieſe zweite Rebellion gedämpft.

---

*) Er war geboren zu Wiel in Schwaben am
27. Dezember 1571, und verhungerte auf faulem
Stroh den 15. November 1630 zu Regensburg,
in welcher Stadt dem ausgezeichneten Kopfe
237 Jahre nach ſeinem Tode ein Denkmal errichtet
wurde.

21 *

Von nun an genoß Linz, wenige und kurze Unterbrechungen ausgenommen, die Früchte des segensreichsten Friedens; Handel und Gewerbe blüheten herrlich, und in ihrem gewöhnlichen Gefolge blieb der beglückende Wohlstand nicht aus.

Im Jahre 1800 brach in dem Schlosse der Stadt eine Feuersbrunst aus, welche so schnell um sich griff, daß der größte Theil der Altstadt ein Raub der Flammen wurde. Diesem an sich selbst höchst unglücklichen Umstande verdankt Linz bedeutende Verschönerungen.

Nicht weniger dunkel, als die der Stadt, blieb die frühere Geschichte des berührten, größtentheils abgebrannten Schlosses; auch seinen Ursprung wollte man aus den Zeiten der Römer herleiten, allein ebenfalls ohne Aufbringung triftiger Beweise für die Behauptung. Richard Löwenherz hatte einige Zeit in der Burg verlebt, nachdem er von seinem treuen Volke aus der Haft zu Dürrenstein losgekauft worden war.

In den neuesten Zeiten wurde Linz durch

feindliche Invasionen hart mitgenommen, und
1809 vorzüglich die schöne am linken Donau=
ufer gelegene Vorstadt: Urfahr genannt,
großen Theils zerstört; allein jetzt sind kaum
noch unbedeutende Spuren jener Unglücksfälle
sichtbar.

V.

Kaum in Linz eingetroffen, erhielt ich
eine sehr höfliche Einladung vom Polizeichef,
dem Herrn Regierungsrath v. H., ihn sogleich
zu besuchen. Ich kannte diese Einladungen
bereits, denn sie waren mir in allen Städten
des Kaiserstaates, welche ich paſſirt hatte, zu
Theil geworden; ich hätte solche Einladungen
gern allerwärts abgelehnt, allein der Höflich=
keit jener Herren zu widerstreben, bleibt kei=
nesweges rathsam.

Die eigentlichen Vorstände der Polizeibe=
hörden in allen größern Städten Oestreichs
sind in der Regel fein gebildete, umsichtige und
gar sehr gewitzte Männer, und das war auch
der Herr Regierungsrath von H.; er bediente
sich, die Einladung zu entschuldigen, des ge=

wöhnlichen Vorwandes, daß er einige meiner
Schriften gelesen habe, und daß er nun wünsche,
meine persönliche Bekanntschaft zu machen.

Die Unterhaltung begann; allein des Herrn
Regierungsrathes eigentlicher Zweck wurde mir
bald genug klar *); er wollte mich lediglich
aushorchen, wie es mir in Wien ergangen,
und wie ich wohl über diese Hauptstadt ur=
theilen möchte; ich befand mich der Grenze
des geliebten konstitutionellen Vaterlandes
nahe, und legte heute mir weniger Zwang
auf, als sonst die Klugheit bei solchen Gelegen=
heiten gebot; in einen Swahl von Kompli=
menten gehüllt, sagte ich dem Herrn Regie=
rungsrathe einige recht derbe Wahrheiten in's
Gesicht; er wußte nun, mit wem er es zu
thun und entließ mich, nach Verlauf einer
halben Stunde, höflich kalt.

Von dem Exminister F o u ch é, welcher be=
kanntlich einige Zeit in Linz privatisirt hatte,

---

*) Napoleon pflegte öfters zu sprechen: „Il en est
de la poste comme de la police: on n'at-
trape que les sots." Und er hatte in der
That Recht.

erzählten mit glaubwürdige Leute einen Zug, welcher mich in der That recht herzlich zu la= chen machte.

Der damalige Polizeichef zu Linz erhielt von Wien aus den Befehl, jedes Wort, jede Miene und Handlung des Herzogs von Otranto zu beobachten und regelmäßig zu berichten, jedoch sollte dieser nicht das Geringste davon gewahren.

Ja du lieber Himmel! ein Fouché und ein östreichischer Polizeibeamte — welcher Unterschied? Der Herzog durchschaute im ersten Augenblick das Ganze, und ließ den Linzer Polizeichef auf der Stelle zu sich bitten: „Lieber Herr Regierungsrath! sprach der Exminister, ich weiß, daß Sie mich beobachten sollen, und daß ich selbst davon nichts ahnen darf; es ist ein beschwerliches Geschäft, welches man Ihnen übertrug, und nach allen meinen Kräften wünsche ich es zu erleichtern, da= her für Sie, von heute an, jeden Tag ein Couvert auf meiner Tafel bereit liegen wird, bei welcher Gelegenheit Sie mich dann, so viel es beliebt und in größter Bequemlichkeit beobachten mögen."

Ob der Herr Regierungsrath das Aner=
bieten annahm oder ablehnte, iſt mir nicht be=
kannt geworden.

Ich ſaß noch mit etlichen lebensluſtigen,
reiſenden Kaufleuten bei der vollen Flaſche,
an der Tafel, als ein Kellner odemlos in's
Zimmer ſtürzte und uns keuchend verkündigte:
es habe ein w ü t h i g e r (toller) Hund die
P o l i z e i gebiſſen und dieſe ſtehe nun in Ge=
fahr, ebenfalls w ü t h i g zu werden. Wir
lachten alle hell auf, doch bald löſte ſich das
Mißverſtändniß:

Die L i n z e r pflegen, beliebender Kürze
halber, einen Polizeiſoldaten bloß d e n P o =
l i z e i zu nennen, und einen ſolchen nun hatte
der wüthige Hund in der That gebiſſen; wir
aber hatten, des Linzer Jargons ohnehin nicht
gewohnt, falſch verſtanden — ein verzeihlicher
Irrthum doch wohl? —

VI.

Verzeihe mir, mein theurer K***! das
k l e i n e I n t e r m e z z o, durch welches ich
mein eigentliches Thema ſo eben zu unterbre=

chen wagte; ich kehre schnell wieder zu diesem
zurück, und werde Dir nun, meinem Verspre=
chen gemäß, den verlornen Faden aufnehmend,
einige örtliche und andere Nachrichten, die
Hauptstadt Oberöstreichs betreffend, spenden.

Linz liegt beträchtlich höher als Wien,
und das Klima ist bei weitem gesünder und
gemäßigter als in des Kaisers Residenzstadt.

Ueberhaupt hat die Natur auch die Lage
von Linz ungemein begünstigt, und für den
Fall, daß das Geschick Dich einst durch diese Ge=
genden führen sollte, rathe ich Dir, zu Linz
vorerst den Schloßberg, und dann eine
fortlaufende Anhöhe zu besteigen, auf deren
Gipfel sich ein Wirthshaus, beim Jäger=
mayer genannt, befindet. Die Aussicht, de=
ren man auf diesem Punkte genießt, ist eine
ungemein reizende.

Die freundliche Hauptstadt mit ihren vie=
len neuen und schönen Gebäuden liegt, tief zu
unsern Füßen, ausgebreitet vor uns. Sanfte
grüne Höhen und idyllische Thäler bilden den
weiten Horizont, aus dem viele schöne Dörfer
überraschend hervor treten. Im Nord und

Ost setzen die Hügelketten vom sogenannten
Pöstling bis zum Pfennigberge der
Aussicht zwar Schranken, allein eben diese
Bergreihen nöthigen den majestätischen
Donaustrom zu bedeutenden Krümmun=
gen durchs weite Thal hin, welches den ma=
lerischen Anblick noch erhebt. Wendet man
das Auge vom Strome rechts, so bemerkt man
deutlich die nach Wien führende Landstraße,
ja man unterscheidet selbst genau genug die
Stadt Enns, Strengberg und im Hin=
tergrunde den hohen Sonntagsberg. Ge=
gen Süd schließen die Höhen hinter Ebels=
berg die Aussicht, doch ragen imposant die
Thurmspitzen der großen Stiftskirche von
St. Florian darüber hervor — und alle
diese Aussichten gewährt annoch das Gebiet
der Stadt, viel reizendere und romantischere
findet man noch außer demselben auf höhern
Punkten.

Linz selbst hat mit den meisten, bedeu=
tenden, östreichischen Städten gemein, daß die
Stadt viel kleiner ist, als die zu ihr gehören=
den Vorstädte. Man zählt deren drei; näm=

lich: die obere Vorstadt, die untere und
endlich Urfahr, von welcher letztern oben
schon Erwähnung geschah, und die mit der
Stadt selbst durch eine 144 Klafter lange,
auf 18 Jochen ruhende hölzerne Brücke über
die Donau in Verbindung gesetzt ist.

Die Stadt hat vier Thore, und ihr schön-
ster Theil ist der 125 Klafter lange Platz,
Markt genannt, auf welchen die bedeutenden Straßen führen und den eine sogenannte,
zur Gedächtniß der Pest vom Jahre 1713 er-
richtete Dreifaltigkeitssäule ziert.

Einen zweiten schönen freien Platz bildet
die mit Platanen und Akazien bepflanzte Promenade, wo die Linzer schöne Welt zu lustwandeln pflegt.

Linz zählt gegen 1250 Häuser, in denen
in Allem und mit Einschluß der Garnison ungefähr 22,000 Seelen wohnen. Es befinden
sich sieben Kirchen in der Stadt, unter denen
sich die Josephskirche durch etliche recht
brave Gemälde von dem ältern Altomonte —
er war ein Deutscher und hieß eigentlich
Hochberg — auszeichnet. Eins der schön-

ſten und bedeutendſten Gebäude iſt das Land=
haus. Uebrigens iſt Linz der Sitz der oberſ=
ſten Regierungsbehörde für das Land ob der
Enns, auch ein von Joſeph II. errichtetes
Bisthum befindet ſich daſelbſt. Die Haupt=
ſtadt Oberöſtreichs hat ein Lyceum, ein
Gymnaſium und mehrere Normal= und Tri=
vialſchulen. Die Erziehung iſt bei weitem beſſer
beſchaffen, als in Niederöſtreich und Böhmen,
und beim Lyceum ſind etliche wahrhaft ge=
lehrte und heller denkende Köpfe als Profeſ=
ſoren angeſtellt; allein auch ſie und mit ihnen
der Funke des Lichtes ſollen nun in kurzem
von jenen intoleranten Obſkuranten, welche
ſich Liquorianer nennen, verdrängt werden.

Ueberhaupt muß ich geſtehen, daß mir der
Umgang mit den Linzern mehr als der
mit den Wienern zuſagte; jene ſind frei=
lich auch ſinnlich und lebensluſtig, aber nichts
deſtoweniger ungemein offener, freiſinniger,
witziger und geiſtreicher, als dieſe.

Auch eine öffentliche, den Studierenden
ſehr erſprießliche Bibliothek befindet ſich in
Linz; ſie beſteht aus ungefähr 23,000 Bän=

ben, worunter aber eine Menge ascetischer
Schriften und alter theologischer und sogenann=
ter philosophischer Werke, voll scholastischen
Unsinnes ausgeworfen zu werden verdiente;
an seltenen und schätzbaren Inkunabeln
ist diese anderwärts unbedeutende Bücher=
sammlung sehr reich; man zählt deren mehr
als 400.

Ein im Bibliothekgebäude vorhandenes
physikalisches Kabinet wird Mu=
seum genannt, doch verlohnt es kaum der
Mühe, dasselbe zu beschauen.

Die Linzer Anstalten, hinsichtlich der
öffentlichen Sicherheit und Bequemlichkeit, das
Straßenpflaster, die Beleuchtung u. s. w. ver=
dienen Lob; an den Ufern der Donau findet
man mehrere reinliche und zweckmäßig einge=
richtete Badehäuser.

An Instituten für verarmte und erkrankte
Menschen leidet Linz ebenfalls keinen Mangel;
das Gebähr=, so wie das Irrenhaus
sind reich dotirt und vortrefflich eingerichtet;
die verehrungswürdigen Orden der barm=
herzigen Brüder und Elisabethiner

rinnen erfüllen auch hier ihren erhabenen
Beruf mit Erfolg und nicht zu ermüdendem
Eifer, und für das Armenwesen überhaupt
spricht schon der Umstand, daß es noch immer
so fortbesteht, wie es einst der unsterbliche
zweite Joseph reformirte.

Nicht Prahlerei verdient es genannt zu
werden, wenn der Oberöstreicher von
seinem Lande und dessen Hauptstadt insbe=
sondere behauptet, daß sie hinsichtlich des
Handels und der Industerie von keiner der
andern Provinzen der ganzen großen Monar=
chie übertroffen würden.

Linz, als einer der bedeutendsten Stapel=
plätze an der häufig befahrenen Donau, er=
freut sich eines lebhaften Handels überhaupt
und wichtige Transitogeschäfte gewähren dem=
selben große Vortheile. Die Stadt hält zwei
Jahrmärkte (Messen), und da ich gerade wäh=
rend eines solchen zu Linz verweilte, so fand
ich Gelegenheit, mich an Ort und Stelle zu
überzeugen, daß mit Tüchern, Leinwand,
Zwirn, Leder und Steiermärkischen Eisenwaa=
ren ein ansehnlicher Verkehr getrieben wird.

Linz zählt mehrere Wollenfabriken, unter denen eine kaiserliche die größte und bedeutendste ist und eine Menge Menschen beschäftigt und ernährt; diese Fabriken liefern, zu in der That sehr billigen Preisen, Tücher, Kassimire, verschiedene andere wollene Zeuge, Tamise, Teppiche u. s. w.

Auch vier Buchhandlungen und eben so viele Buchdruckereien giebt es in Oberöstreichs Hauptstadt, allein mit der einseitigen Wirksamkeit solcher Institute, im ganzen Kaiserstaate überhaupt bereits vertraut, verspürte ich keine Lust, die hiesigen zu besuchen.

VII.

Seit beinahe vierzig Jahren schon hat Linz eine stehende Bühne. Das nunmehrige ungemein freundliche Gebäude wurde nach dem großen Brande von 1800 an der Promenade von den Ständen Oberöstreichs aufgeführt und in seinem Innern, in einem aber nur zu kleinem Maaßstabe, nach dem Muster des Theaters an der Wien eingerichtet, auch befinben sich in dem Hause ein Redoutensaal und das Kasino.

Du magst leicht ermessen, mein theurer K***! wie ich staunte, als ich in Linz eingetroffen, für den Abend desselben Tages ein Stück angezeigt fand, welches selbst seit längerer Zeit schon von den Brettern der Berliner und der norddeutschen Bühnen überhaupt beinahe gänzlich verdrängt worden ist, seit jener Periode nämlich, von welcher an man allerwärts sogenannte Demagogen und freisinnige Sektirer wittert; man fürchtet die poetische Sprache der Freiheit, oder vielmehr den Impuls, den sie üben möchte, und Du hast vielleicht schon errathen, daß von Schillers Wilhelm Tell hier die Rede ist.

Mit nicht geringer Spannung betrat ich das Schauspielhaus, ja du lieber Himmel! der Tell war freilich auf dem Zettel angezeigt, allein in dieser Aufführung erkannte ich die ursprüngliche Dichtung kaum wieder. Der fünfte Akt blieb ganz weg; nun es hätte darum sein mögen, denn der epigrammatische berliner Buchhändler Herr J. Fr. Sommerbrodt schrieb:

„Wo Weizen ist, da drängt sich Unkraut ein;
Drum muß beim Wilhelm Tell ein zweiter Akt
auch sein."

Schon Recht — allein hier wurde mit der Spreu zugleich auch der würzige Weizen verschüttet. Gleich Anfangs blieben die schönen Gesänge nach der Melodie des Kuhreigens weg, und gerade die schönsten und ergreifendsten Stellen der herrlichen Dichtung traf ein gleiches Loos, so daß das Ganze im eigentlichsten Sinne des Wortes eine Leistung ohne Sinn und Verstand war. Nun wurde mir freilich klar, daß der arme verstümmelte Tell von der hochpreislichen Polizeibehörde die Erlaubniß hatte erlangen können, über die Bretter hinken zu dürfen; man versteht anderswo das Kastriren der Bühnenstücke auch, allein die höchste Meisterschaft in der edlen Kunst wurde sicher zu Linz erreicht.

Unter den Künstlern und Künstlerinnen zeigten mehrere ziemliche Anlagen, und besonders

22

nahm der Bühnendirektor den Landvogt recht
brav; die Dekorationen waren nicht schlecht,
sie werden, wie man mir sagte, meistens von
einem Maler aus Wien verfertigt.

Ich beschloß, von Linz nach Passau mit
dem gewöhnlichen Postwagen zu fahren, um
auch diese Art des Reisens im Oestreichischen kennen zu lernen, und ich muß Dir aufrichtig gestehen, lieber K**l! sie ist nichts weniger als
unangenehm, die Wagen sind durchaus noch bequemer eingerichtet, als die englisch-preußische
königliche Journaliere, welche von Berlin
nach Potsdam fährt, und wem die Gesellschaft
im Wagen nicht behagt, der kann in's sogenannte Kabriolet flüchten, wo er sich allein
überlassen bleibt.

In Schärding, dem letzten östreichischen
Grenzorte eingetroffen, nahm ich mir nicht
einmal mehr Zeit, ein Glas Wein zu trinken;
ich eilte der langen Innbrücke zu, noch etliche
Schritte, — und ich erblickte die lieben wohlbe-
kannten Farben, unter denen ich, noch ein zarter
Jüngling, dem Siege entgegen ging, ich stand
auf konstitutioneller Erde.

O mein theurer Freund! der gemüthvolle
Italiener Alfieri hat dennoch Recht:

„— Es ist kein leerer Schall
der Name Vaterland. Der edle Herzen
Wärmt und entzündet, wie ein himmlisch Feuer;
Umsonst sucht der Tyrann so hohe Liebe
Des Frevels anzuklagen, die Natur
Verwirft den falschen Spruch, und nennt sie Tugend."

Sieben Jahre, hatte ich mehr nicht auf die=
ser Erde gestanden, ich umfing sie, ich benetzte
sie mit meinen heißen Thränen.

Meine literarischen Feinde haben der Welt
so oft von meinem schwarzen Herzen vordekla=
mirt; mögen sie immerhin! wie Unrecht sie mir
thun, wurde mir nie klarer, als in jenem
Augenblicke, dort am Strande des länderschei=
denden Inns.

VIII.

Ich habe Dir lange nicht geschrieben, mein
theuerster K**l! entschuldige mich, ich war
krank, in der That sehr krank.

Den ganzen Sommer habe ich in einer
höchst romantischen Gegend, unweit Passau
zugebracht. Man sollte glauben, es ließe sich

22 *

von einer Stadt, welche kaum 7000 Einwoh=
ner zählt, nicht viel Erhebliches sagen, und
dennoch hatte ich über diese Stadt ein halb=
dutzend Bogen zusammengeschrieben. Ich wollte
Dir diese Manuskripte senden, da wandelte mich
plötzlich die seltsame Laune an, sie zu verbren=
nen, und ich weiß Dir nun nichts anders zu
melden, als daß ich die Passauer unbeschreib=
lich lieb gewonnen habe. Es sind in der That
edle, herrliche Menschen und alle Plagen der
kleinen Stadt blieben ihnen fern; Du findest
hier weder Herrenstolz, noch knechtische
Kriecherei, nicht Klatschereien und
keine Spur des unseligen Kleinlich=
keitgeistes, dagegen einen so gediege=
nen, ächten Kunstsinn, wie Du ihn
vielleicht kaum in mancher Hauptstadt antref=
fen möchtest. O warum kann ich den Rest mei=
ner Tage nicht im Cyclus dieser hochherzigen
guten Menschen hinbringen! allein das Schick=
sal ruft, — ich reise morgen ab.

Willst Du Dich vorerst über Passaus
wirklich sehr interessante ältere Geschichte in=
formiren, so lies:

„J. N. Buchingers Geschichte des
Fürstenthums aus archivarischen Quel=
len bearbeitet. München 1810. 8. bei
Storno."

Her. Jof. Lenz hat eine historisch = topo=
graphische Beschreibung Passaus in 2 Bänden,
Passau bei Ambrosi 1818, geliefert.

Passau zeichnet sich überhaupt durch eine
bedeutende Anzahl berühmter Gelehrten, Künst=
ler und ausgezeichneter Dichter aus. Daher
nun auch der Herr Professor und Doktor
Durach zu Bamberg im Begriffe steht, ein
passauer Gelehrten = Lexicon herauszugeben.
Dieser Mann hat mich erst vor wenigen Tagen
eingeladen, ihm zu diesem Behufe meine Selbst=
biographie einzusenden, allein ich erwiederte ihm:

„O Herr! ich bin nicht würdig, in dein
Reich einzugehen."

Denn wie dürfte ein literarischer Zugvogel
meiner Art es auch wagen, sich in die hochge=
lehrte passauer Welt eindrängen zu wollen.

Du stelltest an mich in Deinem letzten
Schreiben gar viele Fragen über den Stand
der bairischen Literatur, über das eigenthüm=

liche Wesen der berühmten Constitution ꝛc.
Wärst Du ein Narr, und wäre ich gescheid,
so könnte ich erwiedern: ein Narr kann tausend-
mal mehr fragen als ein Weiser antworten.
Nun aber muß ich Dich bitten, mir Zeit zu
vergönnen, und so werde ich vielleicht Deine
Neugierde dennoch befriedigen, denn ich liefere
Dir wohl noch eher, als Du es erwarten
möchtest, ein neues Tableau in unsere ani-
malische Gallerie.

Cura ut valeas.

_____

An meinen Freund, den königl. baiersch. Kämmerer und Postmeister zu Passau, Freiherrn von Leoprechting.

Zur Seite der alten römischen Wehre
Giebt Freundschaft dem Freunde schuldige Ehre;
Zum Schlusse ja werde noch angereiht
Dies Blättlein, dem wackern Freiherrn geweiht.

Im tiefen, im hoch romantischen Thale,
In deinem hell dunkeln, friedlichen Saale,
Ich schloß mit der Muse gerne mich ein,
Und Ruhe gab mir dein Garten allein.

Die plätschernde Quelle stört nicht die Stille,
Es hauchen in ihrer üppigsten Fülle
Die Blumen dem Sänger Wohlgeruch zu,
Ein lieber gastlicher Gärtner — bist du!

Erquickt durch des Lenzes liebliche Düfte,
Umsäuseln mich linde, kühlende Lüfte;
Hier dien' ich mit treuer, muthiger Brust,
Der göttlichen Wahrheit sinniger Lust.

Ein Kindlein, ein neues, hier ist's erstanden
Zu reisen nach allen teuton'schen Landen;
Empfangt es, Ihr Freunde! gütig mit Glimpf,
Es trotzet dem bösen, feindlichen Schimpf.

Doch, Trauter! in Deinem rosigen Garten
Darf Nachsicht mein Kindlein sicher erwarten,
Denn Flora, sie kennt nicht giftigen Hohn,
Sie spendet der Biene würzigen Lohn.

Epilog.

Wenn du, geneigter Leser! ein edles Roß, bebungenerweise, ohne Zeug und Sattel kauftest, so würdest du es dir dennoch gefallen lassen dürfen, daß de: Verkäufer nichtsdesto= weniger das Pferd dir nebst einem Leitzaume zuführen möchte. Aus solchem Grunde nun darf ich hoffen, daß du verschiedentliche Aufsätze in diesem Werke, welche meine literarischen Streitigkeiten und jene aus denselben hervor= gehenden Verfolgungen betreffen, sollten diesel= ben dich auch weniger interessiren, dennoch nach= sichtsvoll hinnehmen werdest; sie bilden den Zaum, der, mein geneigter Käufer! dir nimmer= mehr angerechnet werden soll.

23

Gerade indem ich den Meiſter Fuchs
beendigte, erſchien im Brockhauſiſchen literari=
ſchen Converſations=Blatte Nr. 163 eine Kri=
tik des Bockſprunges und der Licht=
und Schattenſeiten Berlins.

Verſtändige und geiſtreiche Männer zu
Paſſau urtheilten: „Wahrlich Sie dürfen ſich
über dieſe Kritik im Brockhauſiſchen Blatte
nicht ärgern, denn es ſpricht ſich hier die Par=
teilichkeit einmal zu deutlich aus, als daß
dieſelbe von irgend Jemanden nicht augenblick=
lich erkannt werden ſollte, auch iſt der Ton
dieſer Kritik ſo auffallend grob, pöbel=
haft und ſchmählich, daß ſelbſt der ge=
meinſte unſer hieſigen Sackelträger*) Be=
denken tragen würde, ſich auf ſolche Art zu
äußern.“

Wer Bücher ſchreibt, muß deren Kritik ſich
gefallen laſſen, allein wenn man, ſo wie meine

---

*) So werden in Paſſau die Laſtträger genannt.

Perfon, von einem anonymen kritifchen
— — feindlich angefallen, wenn man vor
ganz Deutfchland wie ein Scheufal dargeftellt
wird, wenn man feine bürgerliche Ehre ange=
griffen fieht, fo fordern Pflicht und Ehre ge=
rade zur nachdrücklichen Vertheidigung auf.

Um dich, mein unparteiifches Publikum! in
den Stand zu fetzen, klar zu durchfchauen, wie
meine Worte verdreht werden, und auf welche
Art und Weife eine Kritik, welche diefen Na=
men nimmermehr verdient, gegen mich ver=
fährt, muß ich vorerft eine kleine Stelle aus
dem Bockfprunge hier abdrucken laffen; fie
lautet alfo:

„Die böfe Welt zu Dresden nannte eine
vornehme, eine fehr vornehme Dame des Ho=
fes, als Verfafferin und Anbläferin des
Feuers im Walde (ein zu Dresden auf=
geführtes neues Schaufpiel führt diefen Titel);
man that diefer Dame in der That Unrecht;

23 *

Herr Fr. v. Heiden (der Verfasser) lebt, er lebt wirklich der große Dichter und das glückliche Meklenburg nennt ihn sein Kind."

Diese Stelle nun kritisirt das lit. Conversationsblatt mit folgenden Worten:

„Hr. v. Sch. schließt seinen dreßbner Besuch mit der zwiefachen (zwei:fachen) Insolenz, einer sehr vornehmen, und was noch mehr sagen will, in jedem Sinn höchst talentvollen und allgemein verehrten Dame, bei Gelegenheit des Feuers im Walde, welches Stück in Dresden mißfiel, zu erwähnen, mit der Bemerkung, daß die böse Welt sie für die Verfasserin gehalten; und auf den Dichter Friedrich von Heiden, dessen Name porgedruckt ist, so wie über dessen Vaterland Meklenburg mit seinem gewöhnlichen Geifer loszufahren."

In Dresden leben viele sehr vornehme Damen, genannt wurde von mir

keine, allein sollten alle jene vornehme Damen
insgesammt es wohl übel nehmen können, wenn
man versichert, es habe ein durchgefallenes
Bühnenstück keine aus ihrer Mitte ver-
faßt? Der Rec., welcher ohne allen Zweifel in
Dresden domicilirt, errieth die gemeinte
Dame, und karakterisirte sie in der That weit
treffender und richtiger als ich; allein gerade
dieser Umstand belegt, daß das angeregte Ge-
rücht wirklich bestanden, und nicht von mir
erfunden worden ist. — Noch aber frage ich,
ob ein Dichter und ein Land mit Geifer
bedeckt sind, wenn man jenen groß, dieses
aber glücklich nennt? — Ein Danai-
bengeschäft wäre es fürwahr, wollte ich
alle in Nro. 163 des Converf. Blattes gegen
mich und meine Muse auf dem Raume von
vier Spaltzeilen enthaltenen Verläumdungen,
Schändlichkeiten und Schmähungen hier er-
läutern; ich begnüge mich, den Leser auf den
Schandartikel selbst zu verweisen, sehe mich

aber, nach reiflicher Ueberlegung, zu folgender feierlichen Erklärung nothgedrungen:

„Der anonyme Verfasser des erwähnten Schandartikels ist ein boshafter Verläumder; ich fordere ihn hiermit auf, sich zu nennen und werde sofort diesen meinen aufgestellten Satz gerichtlich und außergerichtlich ferner behaupten, belegen und vertreten."

Der Redakteur des Convers. Blattes fügt jenem Schandartikel eine Bemerkung bei, welche also anhebt:

„Ob die noch so gerecht und glücklich geführten Waffen der Kritik bei denen, welche an den Schadenschen Produkten einmal Geschmack finden, etwas ausrichten werden? Je mehr man dieses bezweifeln muß *), je mehr

---

*) Man sollte darauf wetten, es käme diese Bemerkung aus der Feder eines Buchhändlers; denn diese

muß man wünschen, daß Waffen wirksamer
Art, die der Censur, dagegen in Anwen=
dung kommen möchten u. s. w."

Hat keine Noth; solange das Con\vers.
Blatt und Schriften, wie Casanovas
Memoiren, das Imprimatur erlangen, wird es
gewiß meinen Produkten kein rechtlicher Censor
versagen können, allein wie ein solcher die
schändlichsten Ausfälle auf die Individualität
des Schriftstellers und gemeine unbelegte In=
jurien stehen lassen konnte, dieses muß mit
Recht Verwunderung erregen.

Man eifert und zwar mit Recht — die
marchands d'esprit schreien gerade am laute=
sten — über den schändlichen Nachdruck, allein
es ist noch die Frage, ob ein Nachdrucker
oder aber ein literarischer Verläumder oder
dessen Unterstützer ein schlechterer Mensch

Herren allein wissen mit einiger Zuverlässigkeit zu
bestimmen, wie es mit dem Absatze auch fremder
Verlagsartikel beschaffen ist.

fei??? — — Gerade solcher Burschen Müh'
ist, daß sie richten — um auch den Calberon
zu citiren — Anbrer Müh' stets zu Grunde! —
Man lasse die Clique gewähren, bis jetzt Gott=
lob! haben sie an mir Alles Mühen frucht=
los verschwendet.

Deßau, gedruckt bei C. Schlieber.

भारतीय

Druck:
Customized Business Services GmbH
im Auftrag der KNV-Gruppe
Ferdinand-Jühlke-Str. 7
99095 Erfurt